ARTISTAS BRASILEIROS

pintura

ARTISTAS BRASILEIROS

CLAUDIO TOZZI

leila kiyomura

bruno giovannetti

(organizadores)

edusp

imprensaoficial

Clau Tozzi

Ficha catalográfica elaborada pelo Departamento Técnico do
Sistema Integrado de Bibliotecas da USP

Claudio Tozzi / Leila Kiyomura, Bruno Giovannetti (organização). – São Paulo: Editora da Universidade de São Paulo : Imprensa Oficial do Estado, 2005.
224 p.; 23 x 26 cm. – (Artistas Brasileiros; 17).

Inclui bibliografia.
Inclui obras de Claudio Tozzi.
ISBN 85-314-0856-3 (Edusp)
ISBN 85-7060-354-1 (Imprensa Oficial do Estado)

1. Tozzi, Claudio, 1944. 2. Artes Plásticas. 3. Artistas (Brasil) I. Kiyomura, Leila. II. Giovannetti, Bruno. III. Série.

CDD 730.981

Edusp – Editora da Universidade de São Paulo
Av. Prof. Luciano Gualberto, Travessa J, 374
6º andar – Ed. da Antiga Reitoria – Cidade Universitária
05508-900 – São Paulo – SP – Brasil – Fax (0xx11) 3091-4151
SAC (0XX11) 3091-2911 – Fax (0XX11) 3091-4151
www.usp.br/edusp – e-mail: edusp@edu.usp.br

Imprensa Oficial do Estado de São Paulo
Rua da Mooca, 1921 – Mooca
03103-902 – São Paulo – SP
Tel. (11) 6099-9800 – Fax (11) 6699-9674
www.imprensaoficial.com.br
e-mail: livros@imprensaoficial.com.br
SAC 0800-123401

Printed in Brazil 2005

Foi feito o depósito legal

SUMÁRIO

TERRA/GRAMA/CÉU, 1973. [3]

RECORTE, 1984. [4]

TRANSFORMAÇÃO URBANA, 1985. [5]

SOB O OLHAR DA CIDADE

Claudio é uma cabeça limpa de pintor contemporâneo,
sabe ver
sabe prever
e, principalmente, sintetizar.

A mão não é seu faceirismo.
aparentemente ausente
ela se ocupa de mil tarefas "ocultas"
auxiliares paralelas
nos muitos gestos de construir.

de seu traço "visível"
fica mesmo a assinatura
de resto
tanto quanto possível
o design do projetista
desnecessárias outras presenças
nenhuma auto-referência
a não ser uma própria obra: a pintura
informando a ela mesma em suas múltiplas possibilidades
de desdobramentos.

Claudio é um dos raros pintores brasileiros que não sofreram
Ataque de sentimentalismo caboclo
Quando se atira aos coqueiros e às papagálias.

Flávio Império, agosto de 1984

PULSAR CORES. E FORMAS

É esta mão "aparentemente ausente" dos versos de Flávio Império que este livro pretende captar. E revelar com o pulsar das formas e cores que a cabeça limpa de pintor contemporâneo vai buscando no ritmo de São Paulo. Formas e cores que ele sintetiza. E devolve para a cidade através de murais nas estações do Metrô, avenidas, prédios e galerias.

Claudio Tozzi é daqueles típicos paulistanos que a cidade, com todas as suas pressões, não consegue afugentar. Pelo contrário. A história de sua arte tem um elo forte com a trajetória de São Paulo. São mais de 40 anos de convívio registrados em centenas de imagens.

Dos tempos difíceis da década de 1960, quando saía às ruas para fotografar os protestos dos estudantes e transformar essas imagens em grandes painéis, aos murais das avenidas Angélica (2003) e Bandeirantes (2004), seu olhar peregrina. E alia a liberdade do artista à técnica e disciplina de arquiteto e professor da FAU-USP para construir uma São Paulo paralela.

Suas imagens são como um eletrocardiograma. Um mergulho no coração da cidade. O sobe e desce representado em escadas que levam a tantos lugares e, ao mesmo tempo, a lugar nenhum. Ou a sensação de um parafuso constante apertando o cérebro. E as paisagens reticuladas que se fecham em si mesmas, repetindo as mesmas formas em outras imagens, sugerem o próprio cotidiano. O cotidiano que, como a arte de Tozzi, não deixa espaço em branco e parece impedir sonhos e viagens. Um pulsar de cores e formas que leva a um mundo próprio. Um distanciamento ou isolamento que a própria cidade provoca.

É exatamente neste distanciamento que flui o universo do artista. A mão "aparentemente ausente" age nos muitos gestos de construir. O *design* sintetiza a emoção em formas, sem nenhuma auto-referência. E a pintura se impõe em seus múltiplos desdobramentos. Solitária, autônoma, mas dividindo-se entre a multidão. Pela São Paulo afora...

Nesta travessia, as obras de Tozzi ganham a liberdade de arte pública. Ficam por conta da população. Este livro procura apresentar o artista entre sonhos, ideais e trabalho. Propositadamente, os artigos e as imagens não foram organizados cronologicamente. Seguem os caminhos de Tozzi buscando uma arte não linear, que está sempre em movimento, livre no tempo e no espaço. Nos dois primeiros capítulos, "Sob o Olhar da Cidade" e "Pelas Ruas" há uma mostra de fragmentos críticos registrados pela mídia e também por pesquisadores, historiadores, sociólogos e urbanistas que acompanham a sua obra. No terceiro, "Entre Amigos", o seu perfil é delineado através das lembranças dos artistas e amigos. E, em "Caminhando", está o percurso do artista e professor da Universidade de São Paulo e o seu depoimento traçando a sua postura como cidadão, *designer* e arquiteto por uma cidade mais viva e mais poética.

BRUNO GIOVANNETTI
LEILA KIYOMURA

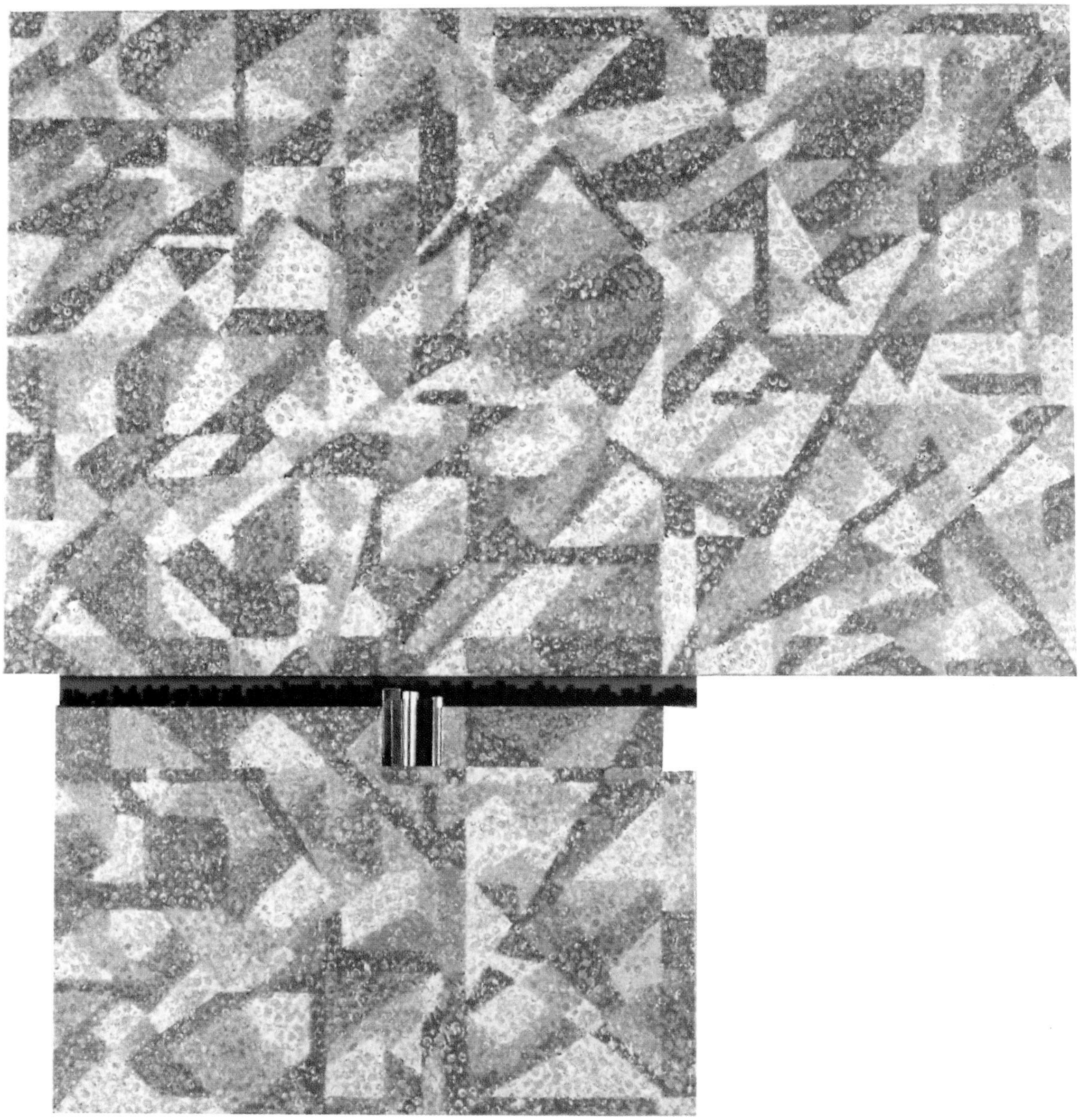

CIDADE COM BRILHO, 1986. [6]

O RETRATO, 1972/1973. [7]

POLUTION, 1973. [8]

O GRITO, 1971. [9]

THIRD WORLD, 1973. [10]

Detalhe. [10a]

TRANSPARÊNCIA, 2002. [11]

UM ARTISTA NA MULTIDÃO

Um estudante como todos os outros. Cabelos compridos, calça *jeans*, o ideal de liberdade e a disposição para protestar, Claudio Tozzi, aos 19 anos, perdia-se na multidão. Saía pelas passeatas fotografando. E acabava transformando essas imagens em grandes painéis. De tanto estar pelas ruas, criando e espalhando panfletos, foi encontrando um caminho no meio da arte. Ganhou o concurso de cartazes, de 1963, do XI Salão de Arte Moderna.

Este prêmio e depois o convívio com os professores e artistas da Faculdade de Arquitetura e Urbanismo da USP – Sérgio Ferro, Flávio Império, Renina Katz, Elide Monseglio, Flávio Motta – o incentivavam. Quando decidiu cursar arquitetura – entrou na FAU em 1964 –, Tozzi tinha a firme determinação de não ser arquiteto. Nunca fez um projeto. Mas da sua prancheta saíam inúmeros desenhos, murais.

O ambiente da FAU aumentava a inquietação. Chico Buarque, companheiro de classe, reunia-se à noite com um violão para cantar as músicas que inscrevia nos festivais. Um encontro em que não faltavam os baianos Gilberto Gil e Caetano Veloso. A ExpoFAU, que persiste até hoje, estimulava a criatividade nas artes plásticas. Os primeiros trabalhos de Tozzi foram apresentados neste movimento. O físico, professor e crítico de arte Mario Schenberg era um dos organizadores. De vez em quando, ele reunia os estudantes em sua casa, na rua Marquês de São Vicente, para discutir arte e política.

No clima da geração de briga, Tozzi deixou-se envolver, cada vez mais, pelos movimentos de massa. Apropriou-se dos flagrantes que registrava e também de fotos de jornais e revistas para criar cenas em alto contraste e colagens. Passou a transpor a realidade em séries. Em 1963/1964, realiza a obra *Paz*, uma colagem sobre madeira com a fotografia do papa no alto, a engrenagem de um relógio e a bandeira dos Estados Unidos. Neste mesmo clima de tensão, destaca-se *USA e abUSA*, de 1966, com fragmentos de jornal e a imagem de dois soldados a postos com metralhadoras.

A *pop art* do norte-americano Roy Lichtenstein, que satirizava o consumo e os valores culturais utilizando-se de personagens das histórias em quadrinhos, foi uma das suas referências. Na verdade, Claudio Tozzi buscou um caminho próprio para o seu trabalho e a *pop art* brasileira, recriando e procurando novos conceitos dentro do panorama político e social que o Brasil atravessava. Suas pinturas passam a ser um manifesto contra a censura, a ditadura, a violência, além de destacar fatos do cotidiano. Deixa-se envolver, cada vez mais, pelas notícias do momento. Seu trabalho era "quase jornalístico", como o próprio artista define. Captava as imagens e dava um conteúdo a elas. O resultado era uma linguagem que despertava a atenção da mídia. Ou seja, ele descobriu nas notícias de jornais uma via para repercutir o seu trabalho na massa e essa comunicação tinha um impacto, que devolvia este trabalho como uma notícia nos jornais. Um *feedback* que mostra a sintonia do artista com a realidade, atento às vozes e aos ruídos do mundo.

Quatro anos depois de se iniciar nas artes, sua obra passa a ser acompanhada por jornais de todo o País. É este percurso do artista sob o olhar da mídia que esta análise pretende apresentar, mostrando a relação da sua arte com o cotidiano da cidade e também a proposta de sua obra na comunicação de massa. Para tanto, apresentamos uma seleção de trechos de notícias, críticas e entrevistas publicadas desde o final da década de 1960. Uma amostra para compreender também a forma como os jornais abordavam, na época, a arte e o artista.

PERCURSO ATRAVÉS DA MÍDIA – Em 27 de dezembro de 1967, o *Jornal do Brasil* noticiou: "Tozzi Quer Vender nas Ruas *Guevara Vivo ou Morto* em Cópias a Preços Populares". O quadro tinha sido considerado subversivo pelo Salão de Brasília. Foi recusado e acabou sendo destruído (só em meados da década de 1970 o artista conseguiu recuperar o quadro e restaurá-lo com a ajuda de seus alunos da FAU). Eis alguns trechos da reportagem:

Claudio Tozzi tem 23 anos, cursa o quarto ano da Faculdade de Arquitetura e Urbanismo e já expôs e ganhou prêmios em vários salões no Brasil. "Pelo que entendo de arte, reflexo de uma estrutura e instrumento para despertar no povo uma consciência crítica, não tem sentido censura em uma exposição deste tipo", afirma. "Com o quadro *Guevara Vivo ou Morto*

PASSAGENS, 1984. [12]

EU BEBO CHOP ELA PENSA EM CASAMENTO II, 1968. [13]

GUEVARA VIVO OU MORTO, 1967. [14]

Detalhes do painel violentado. [14a]

quis pesquisar o poder de comunicação deste tipo de pintura. O ideal seria ter os quadros na rua e abolir os salões, exposições e bienais que apresentam a arte só para um determinado público. Em São Paulo, temos um grupo disposto a lutar por isto. Sei que teremos dificuldades, mas estamos dispostos."

Todos os quadros expostos por Claudio Tozzi – segundo ele – têm um objetivo crítico. "Na IX Bienal, meu quadro *Até que Enfim* é uma crítica contra a moral sistematizada."

O depoimento já deixava clara a disposição do artista em tornar pública a sua arte. Tozzi criava dentro do contexto do Novo Realismo brasileiro, nome dado ao movimento da época nas artes por Mario Schenberg, que teve, com as premiações de Wesley Duke Lee, em Tóquio, e de Antonio Dias e Roberto Magalhães, em Paris, repercussão internacional. Passou a fazer séries como *O Bandido da Luz Vermelha*, *A Guerra Acabou*, entre outras inspiradas nas notícias dos jornais. Veja-se a crítica de Frederico Morais no *Diário de Notícias*, de 5 de abril de 1968, com o título "A Arte como Reflexo da Realidade":

> A política e a polícia, a astronáutica e a ciência, enfim, todos os assuntos que encontraram repercussão popular através de sua divulgação pelos meios de comunicação de massa (TV, rádio, jornal ou cinema) estão entre os temas da exposição "O Artista Brasileiro e a Iconografia de Massa". Alguns artistas mais sensíveis a estes temas populares abordaram-nos em suas obras. Na área policial, por exemplo, temos o famoso bandido da luz vermelha que comoveu a opinião pública paulista pelo seu modo especial de atuar e de fugir à prisão, despertando paixões secretas, inclusive em universitárias... Eis como Claudio Tozzi explica a abordagem do tema em seu depoimento: "Leio o jornal, o luz vermelha invade residência na rua da Bahia, conversa com uma velha que mora só na casa. Força-a a abrir o cofre. Ela abre e ele rouba cem milhões em jóias. Fecho o jornal. Saio. Sinal vermelho, placa vermelha, conversa de bar, talvez de barbeiro (que eu não vou). Todos falam no luz vermelha".
>
> Daí o tema, o sensacionalismo da imprensa, determinando um novo herói e sua repercussão na massa. Um mito popular, despertando inclusive sentimentos de paixão (caso da menina que levou um maço de rosas vermelhas ao luz). Um herói que surge no momento exato, que vem de encontro à atual propaganda da Shell, desmistificando a imagem importada do super-herói.

Na busca de uma linguagem coletiva, Claudio Tozzi transforma suas obras em um meio para as reivindicações da massa. Utiliza-se de frases e imagens de efeito como, por exemplo, a panela de pressão com sombras pretas – obra de 1968, tinta em massa sobre madeira –, com os dizeres em vermelho "Fazei ferver a panela dos pobres". Ou entrando no clima do movimento tropicalista, do amor livre e do questionamento dos valores sociais e morais com a imagem, também de 1968, de uma caneca de chope – tinta alquídica sobre madeira – com os dizeres em vermelho "Eu bebo chop/ Ela pensa em casamento". No mesmo tom de descontração e humor, faz uma composição com a frase "Veja o nú" e a sombra de uma mulher nua entre cortinas de tecido com bolas vermelhas.

A fome, os valores sociais e morais, a revolta dos estudantes, entre outros temas, estão presentes. Mas, a partir de 1969, com o AI-5, a censura e a repressão, a linguagem panfletária sai de cena, contudo continua inspirada nos ritmos da cidade e nos temas ligados à massa. Faz as séries *Astronautas* (1969) e *Futebol* (1970). A partir de então, entra em uma outra fase, buscando novas possibilidades gráficas, novos símbolos, como o parafuso que aperta o cérebro e se transforma em série. Um símbolo que acabou sendo assimilado pela massa como as outras imagens, transformando-se em um código visual que o artista passou a utilizar no decorrer de todo o seu percurso.

Apertando, esmagando, aumentando a pressão, a tensão: 27 parafusos, desenhados ou pintados por Claudio Tozzi, que com eles abre sua 39ª exposição na Galeria Ars-Mobile (avenida Cidade Jardim, 86).

Claudio Tozzi (paulista, 26 anos) é um dos artistas jovens mais elogiados pela crítica. Tem participado dos mais importantes salões de arte atual. Participou da IX e da X Bienais de São Paulo, da Bienal de Barcelona, 1971, das últimas três Jovem Arte do Museu de Arte Contemporânea e do último Panorama Atual de Arte Brasileira.

"Eu uso o parafuso como um símbolo, que representa as pressões existentes, que representam movimento. E escolhi o parafuso porque além desse símbolo que lhe pode ser atribuído, é altamente estético, dá para trabalhar bem."
("Os Parafusos do Artista, ou as Pressões do Mundo Moderno", *Jornal da Tarde*, 26 de outubro de 1971.)

Este ano, Claudio Tozzi compareceu à Bienal de Barcelona, Espanha, e agora traz para a Ars Mobile uma "reportagem subjetiva", como ele mesmo chama este conjunto de trabalhos em que utiliza tinta acrílica ou a óleo, lápis-de-cera, aquarela, matriz fotomecânica (quando emprega a fotografia): muito azul, laranja, amarelo, vermelho.

"Meus trabalhos eram mais diretos, só apresentando a imagem. O que faço agora é mais elaborado e também mais subjetivo: aparece a parte objetiva, imagem, e uma resposta a esta imagem. A tensão está retratada, e também uma liberdade que se pode encontrar. É assim que parafusos aparecem inteiros, pela metade, insinuados e em torno deles um desenvolvimento pessoal."
("Exposição de Claudio Tozzi", *Folha de S. Paulo*, 26 de outubro de 1971.)

Um mês atrás, o pintor Claudio Tozzi teve que escolher uma foto dele mesmo para o convite de sua última exposição, na galeria Ars Mobile. A foto mostra Tozzi contra um de seus painéis da série *Multidões* – rostos apreensivos, caras anônimas, sem meios-tons, o rosto de Claudio Tozzi é um deles.

Se o rosto de Tozzi é um entre muitos, é porque ele deseja ser visto assim.

A arte de Tozzi é tão limpa como seu ateliê, uma casa velha situada numa pequena vila clara e surpreendentemente calma para um lugar tão perto da avenida Paulista.

Quem disser que Claudio Tozzi é difícil de entrevistar não mentiu, mas também não disse toda a verdade. Se ele é de falar pouco é porque ele tem uma visível preferência pelo essencial.
(Cláudio Bojunga, "A Arte de um Homem sem Rosto", *Jornal da Tarde*, 22 de novembro de 1971.)

NÓS SOMOS OS GUARDIÕES-MÓR DA SAGRADA DEMOCRACIA NACIONAL, 1967. [15]

USA E ABUSA, 1966. [16]

MULTIDÃO, 1968. [17]

GUEVARA, 1967. [18]

PRESENTE PARA A CIDADE – Com o painel *Zebra*, instalado em 1972 na lateral do prédio número 172 da Praça da República, Tozzi marca a sua presença na cidade e também reforça a sua proposta de integrar arte e arquitetura. Na época, todos os jornais de São Paulo noticiaram e elogiaram a iniciativa. O artista declarou: "Assim todos que passarem por lá poderão ver um quadro ao ar livre, sem as palavras compre, prefira ou use". Pintada em quatro cores – branca, preta, azul e verde – em placas de zinco, com tinta à base de poliuretano e esmalte sintético, era um presente à cidade.

Tozzi caminha para o aprimoramento dos conceitos e da linguagem gráfica. Sua obra passa a ser resultado da reflexão sobre o momento, os caminhos da arte e também sobre o seu próprio potencial gráfico. Um *brain-storm* invisível diante da objetividade do trabalho final. O que leva para o público é a síntese. Alguns críticos definem esta fase a partir de 1973 como um momento de transição entre o *pop* e o conceitual.

É uma pena que o que está acontecendo de realmente importante na arte brasileira não esteja exposto na Bienal. O grande número de pessoas que vai ao pavilhão do Ibirapuera vê, fora algumas exceções como Gregório e Sendin, trabalhos de aventureiros; trabalhos que chegaram até lá nem se sabe como.

Para ver o que os bons artistas jovens brasileiros estão fazendo é preciso ir às galerias. E assim mesmo procurar bastante, porque a maioria delas não aceita o que há de mais novo – a chamada vanguarda – por não ser comercial, lucrativa. Por isso, para os que estiverem decepcionados com o que viram na Bienal no pavilhão do Brasil, é importante ir à Galeria Ralph Camargo e ver a exposição de Claudio Tozzi, que foi até agora o mais *pop* dos artistas brasileiros. Mostra uma surpreendente evolução em sua obra, seus trabalhos passaram a ser conceituais.
(César Giobbi, "Claudio Tozzi numa Exposição que Redime a Bienal", *Jornal da Tarde*, 17 de outubro de 1973.)

No ano seguinte, os jornais noticiam uma nova fase do artista. Haroldo de Campos observa as pinturas que o inspiram em um poema: "A cor/ pensar a cor/ A cor da cor/ se transparenta e é luz...". Em 1975, Tozzi reúne estes novos trabalhos na mostra "Cor/Pigmento/Luz" na Galeria Bonfiglioli. Entra também no circuito internacional, sendo convidado, em 1976, a participar da Bienal de Veneza.

Nessa mostra, o artista exibe 25 pinturas em tinta acrílica e óleo sobre tela, onde manipula, com habilidade técnica e conceitual, os recursos oferecidos pela cor, pigmento e luz. Ele próprio explica: " O tema da exposição constitui-se num estudo da cor na sua forma de luz – energia – e pigmento – matéria. Trata-se da dissociação das cores." Em seus trabalhos, as cores, como forma e como pigmento, determinam uma mensagem visual e cromática, além de se constituir, ainda, num objeto, criando um envolvimento próprio.
("Cor. Pigmento. E Luz", *Gazeta*, 7 de agosto de 1975.)

Hoje, no Museu de Arte Moderna, os artistas Arcângelo Ianelli e Claudio Tozzi estarão recebendo os mais significativos prêmios conferidos a artistas brasileiros no ano de 1975.

Arcângelo Ianelli (Prêmio Pesquisa) foi escolhido pela sua contribuição à arte nacional, pela elaboração de um mural na fachada de um prédio da Construtora

Diâmetro, na avenida Faria Lima. O artista, em pesquisa de mais de um ano, selecionou materiais de construção, utilizando como critério a resistência, a maleabilidade e a cor natural.

No caso de Claudio Tozzi (Prêmio Estímulo), a escolha deveu-se à sua exemplar conduta de dedicação ao mundo de idéias plásticas. E, por exemplo, eu que não gostei de sua última exposição "Cor", reconheci no artista a dedicação e a seriedade de sua carreira.
(Jacob Klintowitz, "O Melhor segundo a Crítica", *Jornal da Tarde*, 30 de dezembro de 1975.)

Claudio Tozzi, um dos artistas brasileiros convidados a participar da Bienal de Veneza, já de volta a São Paulo, disse ter ficado bastante satisfeito com o que viu e os resultados de seu trabalho na Bienal. Renato Barilli, da revista *L'Expresso*, situou suas obras como das mais importantes da Bienal veneziana.
(*Folha de S. Paulo*, 8 de agosto de 1976.)

É sempre um acontecimento rico o encontro público da obra de três artistas ainda em plena relação dinâmica com a conquista de uma linguagem e de uma iconografia particular. Antonio Henrique do Amaral, Claudio Tozzi e Tomie Ohtake, na Galeria Bonfiglioli, estabeleceram a sua mostra como uma boa oportunidade para observar uma obra madura (Tomie), outra em plena transformação (Amaral) e a terceira (Tozzi) em surpreendente e vulcânica evolução.
(Jacob Klintowitz, "Um Encontro Triplo e muito Rico", *Jornal da Tarde*, 28 de agosto de 1977.)

Os quadros de grande formato, expostos no Escritório de Arte Renato Magalhães Gouvêa, reticulados com tintas industriais, são cartazes destinados a áreas abertas e visíveis à distância. Destinam-se à reprodução, pois são executados com tintas industriais passíveis de seriação exemplar.

A cidade ficaria menos cinza se nas grandes áreas abertas concretadas de cimento armado se colocassem nela os cartazes de Claudio Tozzi. O espaço da vida se tornaria mais quente, mais humano e os transeuntes fatalmente redescobririam o valor das coisas que os cercam, diminuindo assim o distanciamento com a realidade que os envolve.
(Radha Abramo, "A Realidade Partida de Claudio Tozzi", *Folha de S. Paulo*, 28 de junho de 1979.)

Agora Claudio Tozzi começa a dar provas de que pretende realmente ocupar um lugar mais permanente em nossa arte. Há dois anos que a sua obra evolui com firmeza. O artista usa como pincel um rolo articulado (técnica erroneamente confundida com pontilhismo), escolhe as cenas urbanas numa aproximação *pop* e dá um tratamento realista ao conjunto pictórico. Talvez seja cedo para falar, mas tudo faz crer: o artista encontra-se diante de um caminho fértil.
(Jacob Klintowitz, "Não Perca", *IstoÉ*, 13 de junho de 1979.)

HOMENAGEM À ARTE POPULAR– "Chico Buarque das artes visuais", "Midas da pintura moderna brasileira", "poeta da produção industrial". Estes são alguns dos títulos que a mídia foi encontrando para Claudio Tozzi. Quanto mais ele se aproxima da massa, mais vai sendo tratado como mito. Em 1979, depois de inaugurar o painel *Colcha de Retalhos* na estação Sé do metrô – homenagem que o artista fez questão de prestar à criatividade popular –, a mídia tenta enfocar mais as curiosidades de sua vida do que a essência de sua obra.

"Eu quis fazer um painel que tivesse grande poder de comunicação popular" – disse Claudio Tozzi. "Que o povo que usa a Praça da Sé e o metrô se identificasse de forma mais imediata com a obra. O tema que propus foi uma colcha de retalhos que todo mundo conhece e é de criação espontânea. É uma homenagem à criatividade popular. Não adianta fazer um trabalho elaborado, sofisticado, que é coisa de elite".

O painel de Claudio Tozzi mede 10,50 x 3,00 metros. Será realizado com 11 cores e variações tonais.
("Colcha de Retalhos", *Folha de S. Paulo*, 12 de novembro de 1979.)

O sabonete oval é preto. Exatamente na mesma tonalidade dele são as toalhas de banho, de rosto e o telefone, contrastando com a brancura perfeita da banheira. Na casa de Claudio Tozzi a arrumação de todos os objetos – sempre rigorosamente em ordem – não é mania, nem obsessão, mas decorrência natural de um homem que antes de ser pintor é arquiteto. E, portanto, preocupado com o espaço.

Logo que acorda e bebe chá com suco de laranja e biscoito de maisena, Claudio já garantiu a estabilidade física. Aos 35 anos de idade, ele pesa apenas 65 quilos! Não faz regime, mas controla o que come.
(Olney Krüse, "Um Retrato do Chico Buarque das Artes Visuais", *Jornal da Tarde*, 30 de janeiro de 1980.)

No decorrer dos anos de 1980, Claudio Tozzi participa de várias mostras internacionais. É convidado para integrar a Bienal de Paris (1980), a Bienal de Medellín, na Colômbia (1981), a Mostra de Pintura Brasileira na Kouros Galery, em Nova York, (1982), a Bienal de Havana (1986) e a Mostra de Arte Brasileira, na Dinamarca. No decorrer dessa década, marca presença nas Bienais de São Paulo e mostras de arte contemporânea em todo o País.

Três jovens paulistas – Gregório, Claudio Tozzi e José Rezende – estão representando o Brasil na Bienal de Paris, habitualmente conhecida como a Bienal dos Jovens: só aceita artistas até 35 anos. Nossos três jovens representantes significam, nesta bienal, manifestações e aspectos diferentes das preocupações culturais e estéticas existentes no País.
(Jacob Klintowitz, "Paris ainda Quer Definir o Vanguardismo", *IstoÉ*, 24 de setembro de 1980.)

Tozzi cria nova forma de expressão, estabelecendo leitura gráfica, diretamente vinculada a suportes como o cinema, a televisão, a fotomecânica. Dessa simbiose resulta uma arte *sui generis*. Uma arte que tem muito a ver com as metrópoles contemporâneas. Com os *outdoors*, os luminosos, as placas de sinalização. Não tenho a menor dúvida em afirmar que dos jovens artistas contemporâneos do Brasil, ele foi o que captou com maior compreensão o conceito mcluhaniano de que "o meio é a mensagem". Se assim não fosse, dificilmente chegaria à série dos Tucanos e Colchas atuais.
(Carlos Von Schmidt, "Uma Pintura sem Pieguismos", *Folha de S. Paulo*, 16 de março de 1982.)

A fase dos papagaios gerou uma grande quantidade de telas bonitas e brilhantes, que fizeram estrondoso sucesso no mercado – mas renderam poucos dividendos entre os especialistas. Talvez incomodado pela falta de ressonância nesse nível e ao mesmo tempo impulsionado por sua constante necessidade de mudança (que é uma qualidade), Tozzi resolveu, de cerca de um ano para cá, enveredar pelo novo assunto.

Os quadros são abstratos, quase geométricos, na visão de conjunto e no jogo que estabelecem entre suas partes. Mas dentro de cada uma delas podem-se descobrir, aqui e ali, fragmentos figurativos, retirados da realidade observada. Ora uma silhueta de casinha, ora uma sugestão de árvore ou folhagem esguia, e assim por diante. O toque de brasilidade fica por conta sobretudo do colorido.

Mais que emoções, sente-se diante de sua pintura uma reação inteligente. E também é certo que ele coloca em seu trabalho mais inteligência que emoção. Tudo bem, na medida em que – como dizia Leonardo da Vinci – "a arte é coisa mental". Dos papagaios às colchas, Tozzi avançou, e não fez concessões.
(Olívio Tavares de Araújo, "Tozzi na Fase das Colchas", *IstoÉ*, 17 de março de 1982.)

Claudio Tozzi tem sabido medir a exaustão dos seus temas antes que se transformem em fontes inesgotáveis de inspiração rasteira. Se desse modo ele não procura deliberadamente surpreender, ao menos demonstra que não se deixou encantar pelas fórmulas propostas pelo generoso mercado de arte que se insinua promissor a quem nele se lança com determinação e pragmatismo. Tozzi preferiu prosseguir na trajetória que o tem sintonizado, enquanto artista, com os assuntos mais emergentes da atualidade.
(Ijalmar Nogueira, "Sólido Exemplo de Profissionalismo", *Jornal de Brasília*, 23 de maio de 1982.)

Talvez a atual pintura de Claudio Tozzi cause uma surpresa ao público que se habituou, nestes últimos 23 anos, a observar seu onipresente trabalho. É uma pintura de exuberante sensualidade. E Tozzi é conhecido pelo seu controle, frieza, proposição intelectual e domínio da técnica. Diante da sua atual mostra, esta imagem deve sofrer fissuras.

Evidentemente que a imagem pública nem sempre corresponde à realidade da obra.
(Jacob Klintowitz, "Um Novo Tozzi. Despojado, Sensual", *Jornal da Tarde*, 23 de maio de 1986.)

Claudio Tozzi está realizando na Galeria Montesanti, no Rio Design Center, sua melhor exposição carioca. Até então, todas as mostras anteriores desse artista paulista caracterizaram-se por uma certa dispersão, com obras de várias fases ou épocas, deixando passar alguma sensação de displicência. Agora não. Tozzi trouxe para o Rio trabalhos recentes, de tamanhos e formatos muito próximos, todos de uma única fase. Isto deu grande unidade visual à exposição. Tozzi está num momento plenamente criativo, confirmando suas melhores qualidades e reafirmando a coerência interna de sua obra, o que nem sempre foi devidamente percebido.
(Frederico Morais, "A Força da Imagem na Melhor Fase de Tozzi", *O Globo*, 22 de agosto de 1986.)

O cotidiano da cidade, os anseios da massa continuam presentes na obra de Tozzi. Agora, porém, através de códigos, signos, símbolos. A linguagem jornalística dos primeiros tempos se dilui. Amadurece através das cores e formas. Um universo rico de imagens, histórias, sonhos e emoções que a mídia não acompanha (a não ser para divulgar novas exposições). Os tempos – de Fernando Collor à ascensão de Luiz Inácio Lula da Silva – também são outros. A arte e o artista, especialmente os jovens, conquistam novos espaços para expor seus trabalhos. Museus, centros culturais e universidades promovem cursos para incentivar a formação de artistas e a divulgação da arte.

Claudio Tozzi inicia a década de 1990 com um trabalho consolidado. Ganha uma sala individual na XXI Bienal de São Paulo. Continua percorrendo o País com diversas exposições. Mas o mais importante: observa o sonho que compartilhava com os amigos da rua Maria Antonia tornar-se realidade. A arte deixa de ser mito. Ganha as ruas. Reflete o mundo contemporâneo com todas as contradições, crises, buscas. Inquietante e livre.

VEJA O NÚ, 1968. [19]

Detalhe. [19a]

Os artistas sempre rejeitam interferências em suas obras, por isso é de se estranhar atitudes como as de Claudio Tozzi, um artista plástico de São Paulo que conquistou o mundo. Em sua última fase, ele tem feito construções espaciais, objetos em poliuretano que não são fixos em qualquer suporte, permitindo que o comprador perverta o sentido original e faça uma nova obra com as peças criadas pelo autor.
(Ana Teresa Baptista, "Claudio Tozzi Convida a Fazer Arte", *A Tarde,* Caderno 2, 20 de novembro de 1991.)

Os artistas mais conceituados e "calejados" de Uberlândia dizem que, para que haja um crescimento do mercado de arte na cidade, é preciso que se abra este mesmo mercado para a produção alheia, ou seja, para a produção que venha dos grandes centros de arte como São Paulo, Rio e até mesmo outros países. Isso já está sendo feito... Hoje, será aberta a exposição de Claudio Tozzi, 52, um dos mais importantes artistas contemporâneos do País e um dos poucos remanescentes do movimento artístico *pop* que vingou na importante e conturbada década de 60. Através de sua obra, foi possível identificar o que de melhor pensou a juventude brasileira.
(Luiz Ricardo Magrello, "O Papa Não é mais Pop", *Correio,* Uberlândia, 17 de abril de 1997.)

Precursor da arte *pop* no Brasil, Claudio Tozzi já elegeu como tema de sua pintura cérebros, parafusos, escadas e multidões. O artista faz agora a síntese de sua trajetória reunindo esses elementos na mostra "Geometrias do Tempo".

Em 35 anos de carreira, é a primeira vez que suas formas-chave se encontram num mesmo quadro. E elas interagem, confundindo-se, transformando-se umas nas outras, aparecendo para sumir logo em seguida.
(Fernando Oliva, "Tozzi Geometriza os Símbolos que Criou", *Folha de S. Paulo,* 14 de maio de 1998.)

"Geometrias do Tempo", mostra de quinze telas e seis gravuras com inauguração marcada para hoje, traz um pouco da preocupação de Claudio em unir o espaço físico e o espaço temporal das grandes cidades em imagens minuciosamente construídas. Produzidas na última década, as obras resultam de estudos de cor, textura e linhas e refletem uma espécie de síntese da trajetória artística do pintor.

Como indica o título da exposição, as criações de Claudio têm por base as formas geométricas. É nelas que ele pensa o espaço urbano e reconstrói impressões causadas pela estética do concreto.
(Nahima Maciel, "Linhas que Norteiam a Vida", *Correio,* Dois, 1º de setembro de 1998.)

A Casa Andrade Muricy abre hoje sua primeira grande exposição dedicada a um artista brasileiro. A escolha recaiu sobre Claudio Tozzi, surgido em 1963, um nome onipresente no circuito de arte nacional a partir daí, tendo participado de alguns dos movimentos estéticos mais importantes do País – da tradução tupiniquim dos delírios dadaístas, passando pelos bravos gestos panfletários e pelo desenvolvimento da linguagem concreta.
(José Carlos Fernandes, "Encontro Marcado com o Tempo", *Gazeta do Povo,* 29 de abril de 1999.)

O Museu de Arte Brasil-Estados Unidos abre hoje uma exposição de pinturas, gravuras e esculturas do artista plástico paulista Claudio Tozzi. Um dos nomes mais referenciados dentro das artes plásticas brasileiras contemporâneas. Tozzi trabalha recortes de imagens em composições que podem ser vistas como figurativas, a princípio, mas que se destacam pelo uso intenso da cor, que estimulam a percepção do espectador. O artista estará em Belém para o *vernissage.*
("Mestre do Presente", *O Liberal,* Cartaz, 6 de outubro de 1999.)

"Construção da Imagem e Sua Relação com o Espaço – O Fazer do Artista Plástico e do Arquiteto": o nome é pomposo como em geral nas teses de doutorado. Mas a mostra que o artista Claudio Tozzi abre hoje no MuBE é isso: ilustração de sua tese, que defende pela manhã no museu.

Cerca de 40 obras do artista estão expostas no MuBE, desde telas dos anos 60, de influência da *pop art* americana, até telas do ano passado. Lá estão também painéis com páginas de sua tese, que apresentam várias de suas obras vinculadas à arquitetura.
(Fabio Cypriano, "Tozzi Propõe Arte e Arquitetura Integradas", *Folha de S. Paulo*, 24 de fevereiro de 2001.)

A avenida Angélica vai ganhar um colorido extra em setembro. A Quota Empreendimentos Imobiliários escolheu ontem, no Memorial da América Latina, a obra em tons de azul e branco do artista plástico Claudio Tozzi para decorar a fachada de 36 metros do Edifício Exclusive, em fase de construção no número 2016 da avenida.

Tozzi aposta na arte destinada ao espaço público. "Se esta tendência for seguida, podemos transformar São Paulo em um grande museu planejado", declara.
("Uma Fachada para a Arte de Tozzi", *Jornal da Tarde*, 27 de março de 2002.)

Da chamada geração 60, Claudio Tozzi talvez seja um de seus membros mais dado às experimentações formais. Em vários sentidos, no suporte, na pesquisa pictórica, na linguagem plástica e até na sua divulgação ou veiculação... O trabalho de Tozzi é produzido em meio a esse arsenal de extremos, de paroxismos e de experimentos. Dele são alguns dos mais candentes trabalhos dessa resistência artística, quando incorpora ícones da cena política brasileira e mundial e os transforma em signos quase pop em favor de uma idéia de liberdade e de contestação. E o faz a partir de recortes retirados de jornais, de fotos jornalísticas tornadas emblemáticas, de materiais saídos do contexto industrial fazendo as vezes de volume e de perspectiva. Não à toa, a qualidade desses trabalhos suportou a passagem do tempo e muitos deles têm sido expostos em retrospectivas temáticas, mostrando a permanência de sua linguagem.
(Miguel de Almeida, "Expressões Cosmopolitas", *Gazeta Mercantil*, 30 de abril de 2004, sobre a exposição "Arquitetura Imaginária" – Pinturas de Claudio Tozzi, no Espaço BM&F.)

Murais em grandes formatos foram planejados para adornar 11 viadutos e muros das avenidas 23 de Maio, Rubem Berta e Bandeirantes. Serão pintadas séries de faixas paralelas em cores condizentes com as tonalidades já existentes da região. Assim, para o Jabaquara optou-se pelo azul, por conta dos espaços mais abertos, enquanto a região do Ibirapuera ganha tons esverdeados, e a área próxima ao aeroporto de Congonhas recebe o amarelo, aproximando-se do laranja da torre de sinalização do Ministério da Aeronáutica. Claudio Tozzi ressalta que as obras também propõem integração com o espaço, na medida em que a percepção dos murais pode ser alterada dependendo da velocidade em que passa o espectador.
(Alexandra Moraes, "Claudio Tozzi Vai Colorir Avenidas", *Folha de S. Paulo*, 30 de junho de 2004.)

Cerca de 100 integrantes da escola de samba Barroca da Zona Sul vão pintar painéis artísticos criados por Tozzi, nas paredes do viaduto Bandeirantes, nos muros e na sede da escola. Para manter a identidade visual, os murais levam as cores rosa e verde, as mesmas da Barroca e da Mangueira que, não por acaso, é madrinha desta escola paulista.
(Adriana Drigo, "Samba Colorido", *O Estado de S. Paulo*, 17 de setembro de 2004.)

Leila Kiyomura
Bruno Giovannetti

A GRANDE LUTA FINAL, 1966. [20]

ENCONTRO, 1967. [21]

SERMÃO, 1967. [22]

SERÁ QUE ELE VEM OUTRA VEZ..., 1967. [23]

NO BAR, 1967. [24]

ASTRONAUTA, 1969. [25]

ASTRONAUTA, 1969. [26]

ASTRONAUTA, 1969. [27]

PAZ, 1963/1964. [28]

MAO, 1968/1969. [29]

SEM TÍTULO, 1970. [30]

VESTÍGIOS, 1998. [31]

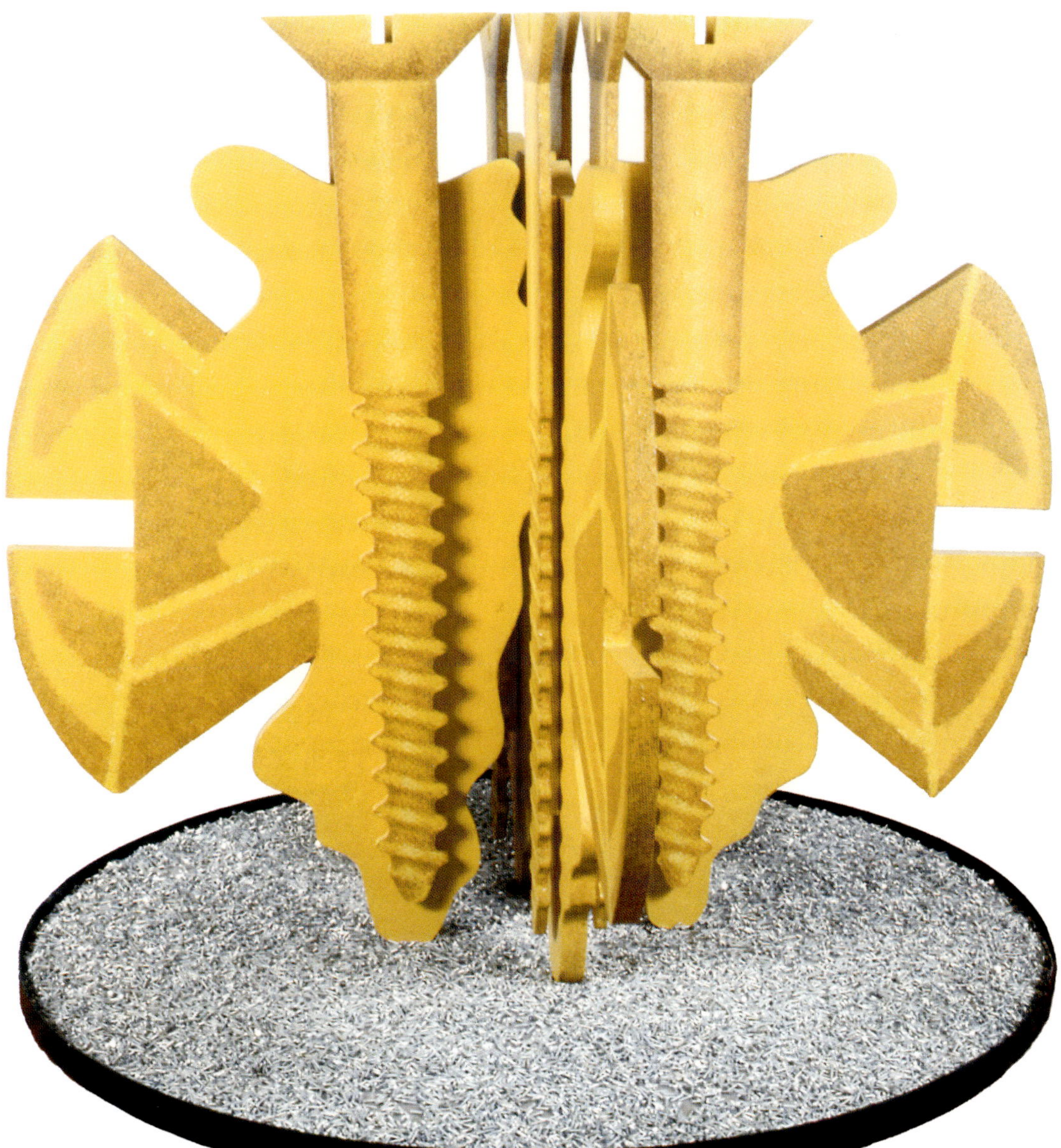

COLHEITA, 2000. [32]

ACERTEI A FRIGIDEIRA NO BANDIDO, 1967. [33]

INVENÇÃO E *MECHANICA*

O trabalho do artista plástico Claudio Tozzi é notável, pois supõe e suporta tantas teorias desafiando uma interpretação pertinente que descrever seu trabalho é correr o risco de cair no vazio. Além do mais, sua produção permanece atual aqui, já no terceiro milênio, apesar de ignorar muitas escolas e estilos (ou manias) consagrados no final do século passado.

Como personagem artístico, sua discrição, em vez de poupá-lo, provocou histórias e lendas que deliciaram os contadores de casos do círculo das artes. Na década de 1970, diante de um quadro com tema de parafusos, alguém disse: "Ele estuda na FAU", e outro retrucou: "Não é na Poli?". Mas o que mais gerou controvérsias foi sua maneira de tratar as cores como retículas: o que para alguns era trabalho de pincel, para outros eram marcas impressas com *silkscreen* e para outros ainda eram impressões feitas com rolos tipográficos tratados e todos tinham absoluta certeza de saber a verdade.

Um fato porém sempre foi evidente, sua obstinação em trabalhar com a forma. Mesmo quando se agradou da *pop art*, sua atenção era dirigida, apreensivamente, para a forma e sua temática contemplava mais o social do que o consumo (apanágio da *pop*).

Sua pintura flerta com a técnica e parece emergir da mecânica e dos achados da ferramentaria e das artes gráficas reprodutíveis, como se, num desafio a Walter Benjamin, fizesse do reprodutível a obra única. Esta pode ser sua face mais aparente, mas não é só isto, pois é um trabalho que finge domínio técnico, para buscar na forma sua energia poética.

É como se houvesse um embate inconciliável entre a regra e a invenção: a regra ditando ordens para a produção e a invenção subvertendo normas para descobrir a estrutura.

Parece, às vezes, uma exposição retórica, em que metáforas e parábolas fingem comandar um discurso plástico. Mas estas figuras de linguagem (metáforas e tantas outras) são apenas os motivos aparentes e ilustrativos de uma produção que, por caminhos próprios e, às vezes, até secretos, contam outra história.

Por isso é uma pintura que faz parecer real aquilo que ela entrega ao primeiro olhar. E este olhar cria na imaginação do observador a ilusão de que o tema é o objetivo, quando é apenas o meio ou a ferramenta para contar e mostrar as invenções, que são muitas e possíveis na forma.

Salta aos olhos a estrutura, que pode ser conhecida ou imaginada e é percebida algumas vezes por sutis mudanças de tons, e outras, por linhas, vincos, cortes ou mesmo até interrupções da superfície.

Estas obras têm uma pele, melhor, uma epiderme, que, como estrutura complexa e tátil, inventa-se em cada forma. É esta epiderme, aparentemente superficial, que qualifica o objeto. Tem-se, assim, que a superfície desta é a mesma da tela. A obra já não mais representa, ela é a própria forma. Por isso, muitas vezes pode afastar-se do retângulo tradicional e da superfície bidimensional do suporte.

Esta retícula é tramada como um tecido; em que um pequeno ponto de cor pode ser somado a outros, ou pode ser obscurecido por outros, ou simplesmente marcar um sobretom dos outros. E ainda a característica de que a aparência e a estrutura de uma superfície tramada são uma só, tal como a superfície de um granito exibe sua estrutura ígnea.

De início parece a tessera de mosaicos, mas não é, porque estes pequenos retângulos que criam imagens isolam-se obedecendo a um desenho predeterminado e não misturam cores. Nas retículas não há desenho, mas a preocupação de criar a matéria da forma.

Assim, as cores são distribuídas com uma habilidade manual tão precisa e pontual, que o efeito gerado parece produto mecânico. Não importa o meio empregado, importa o resultado, que é a camada celular que, num salto qualitativo, está muito acima da soma de cores empregadas. Agora é massiva e densa, não mais reticular.

Esses pequenos sinais de tinta têm desenhos variados, umas vezes pequenos círculos, outras, figuras irregulares e riscos. A densidade da tinta também difere. É densa e cobre outras cores em alguns lugares sendo que, em outros, é liquefeita, fundindo-se com as imersas.

Como pontos de uma tessitura, mudam constantemente, submergindo aqui, emergindo ali; pontuando, entrelaçando e flutuando, simulam superfícies mas criam matérias, que têm densidades variadas.

Matérias que podem ser lisas ou ásperas, macias ou rígidas, sóbrias ou reluzentes. E como massas suportam as estruturas figuradas. Como na geologia, apresentam camadas estratigráficas, que permitem muitas leituras.

Parece que o domínio do tato é o senso fundamental para ler e sentir essas substâncias corporais, porque elas são inseparáveis das figuras que as contêm. A matéria só existe na forma e a forma nasce da matéria.

É neste instante que se percebe a habilidade, pois todos os vestígios da mão são apagados pelo resultado. Neste momento, pode-se falar em *mechanica*, mas no sentido grego da palavra, que é imaginar, inventar, criar e produzir com arte. Aqui, seu veio poético.

LUIZ MUNARI

BARROCA DA ZONA SUL, 2004. [34]

PARAFUSO, 1972. [35]

PASSAGEM, 1986. [36]

ESCADA, 1977. [37]

ESCADA, 1977/1978. [38]

PARAFUSOS, 2000. [39]

INTERFERÊNCIA, 1973. [40]

INTERFERÊNCIA, 1973. [41]

A ARTE TRANSCENDE AO ARTISTA

Claudio Tozzi é de uma geração artística muito jovem, posterior ao Concretismo e que está procurando emancipar-se das coisas geométricas. Você sofre a influência da arte geométrica, mas agora está tentando transformar essa arte numa coisa vibrante, mais sensorial. Aliás, esse processo foi um pouco do que se deu internacionalmente. Depois do abstracionismo geométrico, os artistas passaram para o expressionismo abstrato, uma retomada de Monet, procurando a cor como energia. Você está buscando uma síntese do expressionismo abstrato e da construção geométrica, que pode ser uma tentativa de sintetizar grande parte da arte do século XX.

O processo de criatividade combina elementos de ação consciente e elementos de ação inconsciente. Isso deve ter sido sempre conhecido. Homero dizia que nada do que ele escrevia era da sua cabeça, tudo era transmitido pela Musa. A Musa era o inconsciente. No século XIX, o matemático e físico francês Poincaré sistematizou a descoberta matemática, que tinha processos conscientes e inconscientes, daí nasceu uma concepção geral da criatividade, uma combinação complexa de elementos conscientes e inconscientes. Quando o artista olha para o seu próprio quadro ele o faz condicionado pela sua personalidade. Outra pessoa olha para o quadro e vê outra coisa diferente. Há uma riqueza muito grande de situações, um quadro pode ser interpretado de muitas maneiras diferentes. Uma geração vê a arte de uma determinada maneira, a geração seguinte vê de outra. A arte, a partir de um determinado momento, se torna independente do artista, tem sua própria história.

MARIO SCHENBERG

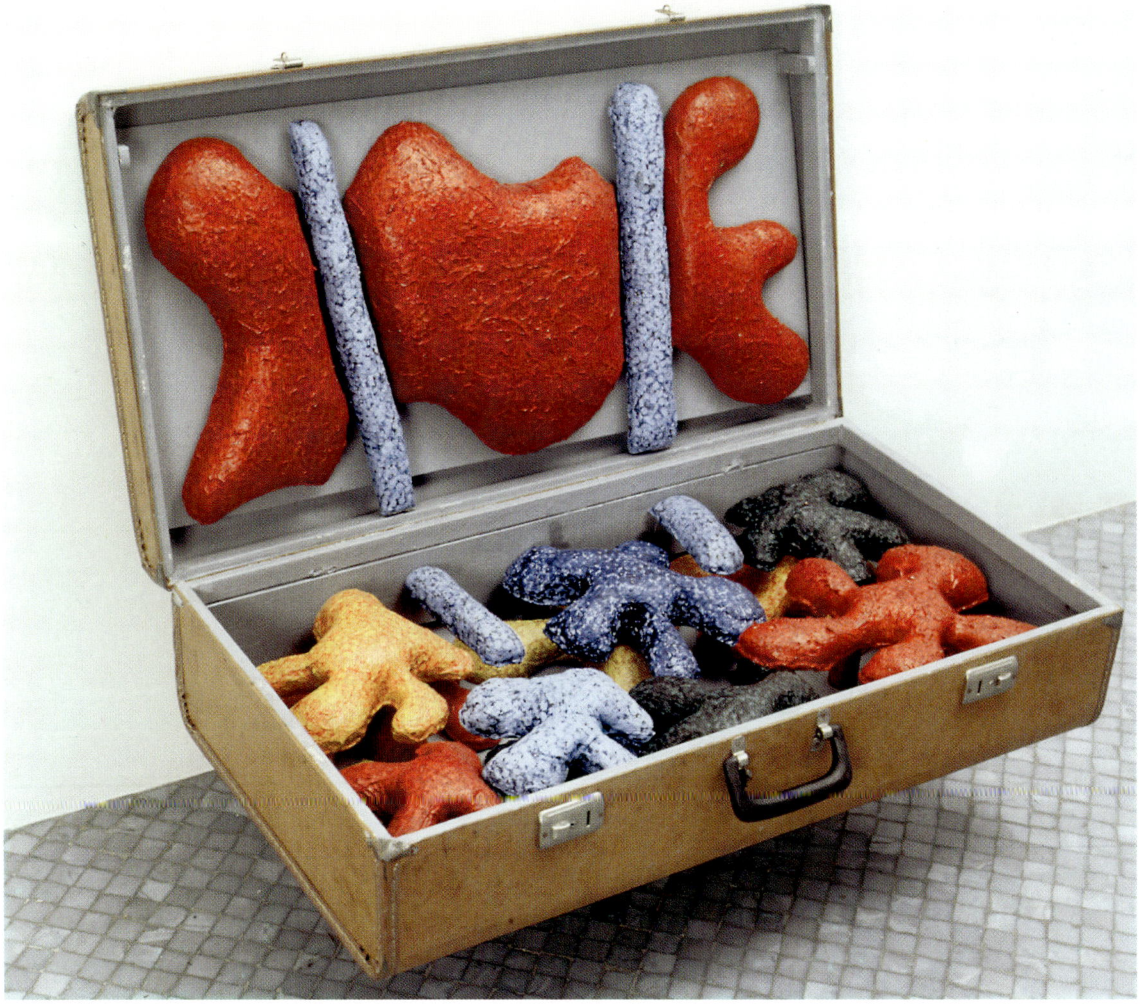

A MALA, 1994. [42]

Detalhe. [42a]

UM MOSAICO DA MEMÓRIA

Nos últimos anos de 1960, um jovem estudante de arquitetura se agitava e corria pelas ruas de São Paulo, fotografando as multidões em passeatas de protesto.

Claudio Tozzi lançava um olhar atento e comprometido com o momento, fixava flagrantes do contemporâneo conturbado. As fotos, segundo seu proceder minucioso, eram trabalhadas em laboratório, para chegar às margens em altocontraste recortadas, montadas e justapostas. Também assim procedia com outras fotos apropriadas de jornais e revistas. Compareciam em sua pintura, imediatista, em termos de comunicação de massa, imagens do momento, de forte caráter semântico, constituindo-se em uma iconografia urbana.

Seus trabalhos são narrativas de vivências daquele período, compondo-se em séries, como quadros de histórias em quadrinhos, não indiferente à produção de arte *pop* norte-americana, em particular de Roy Lichtenstein.

Tozzi atuava com os meios de comunicação de massa, lançava mão de imagens que circulavam na paisagem urbana, verdadeiros *ready-mades* visuais. Utilizava tintas para pintar placas de ruas e sinais de trânsito, em cores escuras e chapadas – vermelho, amarelo, branco e principalmente o preto. Trazia também para as obras, como Lichtenstein, as marcas do tratamento fotográfico – as retículas ou granulações do *offset* fotográfico.

Sua narração se desenvolvia em séries, *Guerra do Vietnã*, *A Fome (de Biafra)*, os terrores da cidade paulista na série *O Bandido da Luz Vermelha*, a homenagem comovida ao revolucionário em *Guevara Vivo ou Morto*, a conquista da Lua em *Astronautas*, a crítica ao poder militar na série *Parafusos*, a perda do sentido da vida e da direção das massas na série *Escadas* (que levam a lugar nenhum).

No trato da linguagem da pintura, fez pesquisas sobre a função da cor, na trama da composição. Na série *Cor/Pigmento/Luz* – as áreas cromáticas chapadas – onde a cor é cor-pigmento depositada na superfície e é também cor-luz, materializando os raios de luz colorida no suporte como pequenos pontos. Esta configuração "pontilhista" se verifica na continuidade da pintura de Tozzi, a partir de 1971, em *Escadas*, instaurando-se como uma metodologia, fruto de sua formação e atuação como professor de "Estrutura de Linguagem Visual" na Faculdade de Arquitetura e Urbanismo da USP. A trama de pontos, tons da mesma cor, traz uma possibilidade de soma óptica de exercício de *gestalt* para o observador de luz.

O artista atingiu um grande rigor na linguagem da pintura somada à poética pessoal ancorada no momento, uma interação entre a razão e a emoção. Em *Figurações (30 Anos na Arte Brasileira)*, as obras de Tozzi estabelecem um diálogo entre dois momentos diferentes de seu percurso artístico.

A série *Astronautas*, 1969/1980, e o desenho *A Subida do Foguete,* 1969 – prêmio da IV Jovem Arte Contemporânea –, obras da coleção do MAC-USP, ocupam ponto central do espaço.

Em torno do tema da chegada do homem à Lua, das viagens interplanetárias, o artista destaca como grandes personagens o homem e a máquina – o astronauta e o foguete –, em contraposição às séries anteriores, nas quais se viam paisagens urbanas e a massa popular densa e agitada nas ruas, apresentando-se densas áreas pretas. O foguete manifesta-se no desenho como um novo habitáculo do ser, incorporado à paisagem urbana na escala do edifício e junto às ruas, sobe do centro de uma cidade num *insight* especial. Os astronautas, em serigrafias, são tratados com traços redondos, consoante à questão de falta de gravidade, ao ar rarefeito, com cores luminosas e contrastantes. Desenho e serigrafias refletem o encaminhamento do artista em busca de mais leveza e luz para seus trabalhos. A partir destes, o público pode observar como o artista trabalha num determinado momento e como sempre decide operar com meios que interagem com sua percepção do tema do aqui e agora.

Pode o olhar do público se encaminhar para as grandes pinturas em torno da série *Rememorações*. Estas obras, de 1998, fazem forte referência aos idos de 1968, à edição do Ato Institucional nº 5, o AI-5, e às restrições dos direitos da cidadania.

Claudio Tozzi quer relembrar para outras gerações, em grandes painéis, um mosaico ou quebra-cabeça da memória, com macro ou micropeças assinaladas sabiamente. Projeta a composição, justapõe, contrapõe imagens, fragmentos do passado para o futuro. Revela ao público, de outra geração, cenas de resistência, opressão, angústia e coragem. Comparecem as imagens das séries *Multidões*, *Parafusos* (sobre cérebros), as *Escadas* sem destino e derivadas das passagens (da rosca) do parafuso.

Seguindo sua sapiência e o rigor da linguagem da pintura, Tozzi estrutura a composição, com dinâmicas de formas e cores-tons diferentes, diagonais e recortes ortogonais. Trabalha com grupos de cores das quais derivam tonalidades de diferentes intensidades, no jogo de exaltar ou rebaixar os tons.

DAISY PECCININI

FUTEBOL, 1970/1986. [43]

A GRANDE VACA, 1991. [44]

COLÓQUIO, 1989. [45]

SEM TÍTULO, 1995. [46]

NOS TEMPOS DA *POP*

Da geração de artistas emergentes dos anos de 1960, Claudio Tozzi é, por essa mesma razão, profundamente tocado pelo sentido dos artistas norte-americanos que se notabilizaram no movimento *pop*. Assim, além de suas contribuições na área do "objeto", as artes gráficas peculiarizam sua produção nessa década e, através da serigrafia, vemos sua temática inspirar-se nos eventos que marcam esses anos: o cosmonauta, explorações interplanetárias, o "Che" Guevara, cenas de multidões etc., extremamente gráfica. É o artista brasileiro mais próximo da imagética de Roy Lichtenstein. Aos poucos, desenvolveria uma pintura em que mantém um permanente distanciamento físico do gesto sobre a tela, através de técnica pontilhista obtida com o rolo de borracha de superfície reticulada.

Dessa forma, nas diversas séries de suas pinturas, mesmo em *Papagália* e mais recentemente em suas especulações construtivas de caráter geométrico, essas obras – como aliás o trabalho programado de vários artistas contemporâneos – refletem a postura do artista como projetista, neste ponto quiçá revelando sua formação como arquiteto. Tem exposto amplamente em individuais e coletivas, tanto no Brasil como no exterior, tendo participado, entre outras, da Jovem Arte Contemporânea no MAC-USP e do Panorama de Arte Brasileira no MAM-São Paulo. No exterior já se fez presente na Bienal de Veneza, Bienal de Paris, Bienal de Medellín, "Vanguarda Brasileira", no CAYC de Buenos Aires, Bienal de Havana, Bienal do México, Gelsenkirchen Museum da Alemanha, São Paulo-Rio-Paris. Entre outros prêmios, em 1979, obtém prêmio de viagem ao exterior no Salão Nacional de Arte Moderna.

Em composição dominada pela dinâmica de diagonais a partir de perspectiva aérea, em meio a planos sintéticos de bordos ondulados representando grandes nuvens, ao lado da gigantesca torre, um foguete eleva-se ao ar. Ao mesmo tempo, um segundo plano arquitetônico e retilíneo contribui para conferir a este desenho o caráter essencialmente gráfico das histórias em quadrinhos, embora individualizado o quadro retirado de seu contexto narrativo, bem como na precisão *cool* de seu traço e massas de cor chapada.

ARACY AMARAL

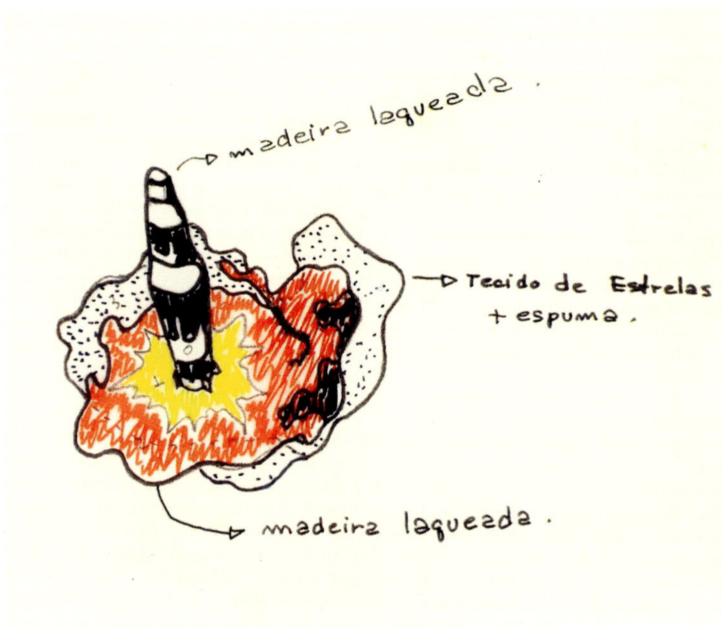

Estudo para a obra *FOGUETE*, 1969. [47]

FECHADURA, 1994. [48]

RECICLAGEM, 1996. [49]

MULHER DEITADA, 1987. [50]

SIGNO, 2001. [51]

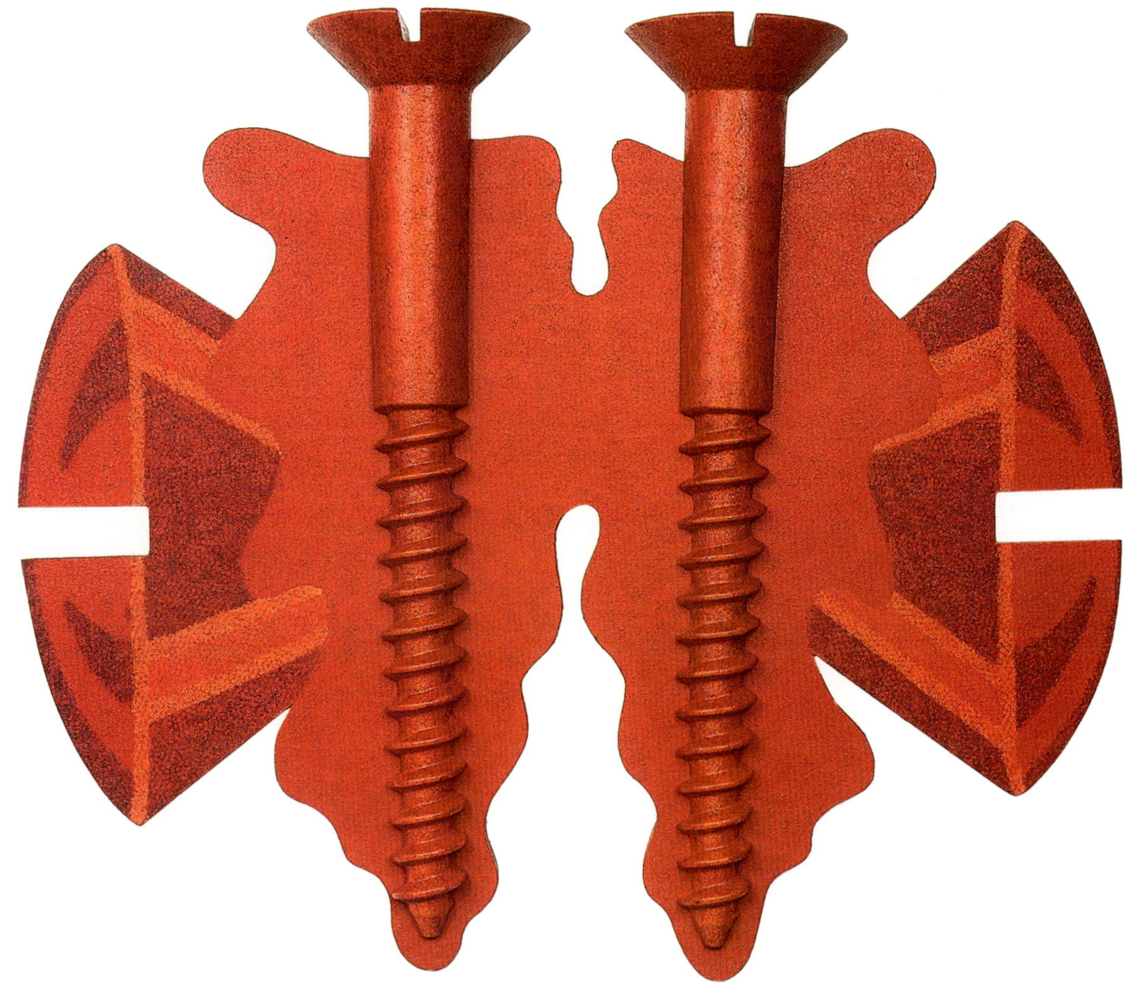

EMBLEMA, 2000. [52]

SEM TÍTULO, 1985. [53]

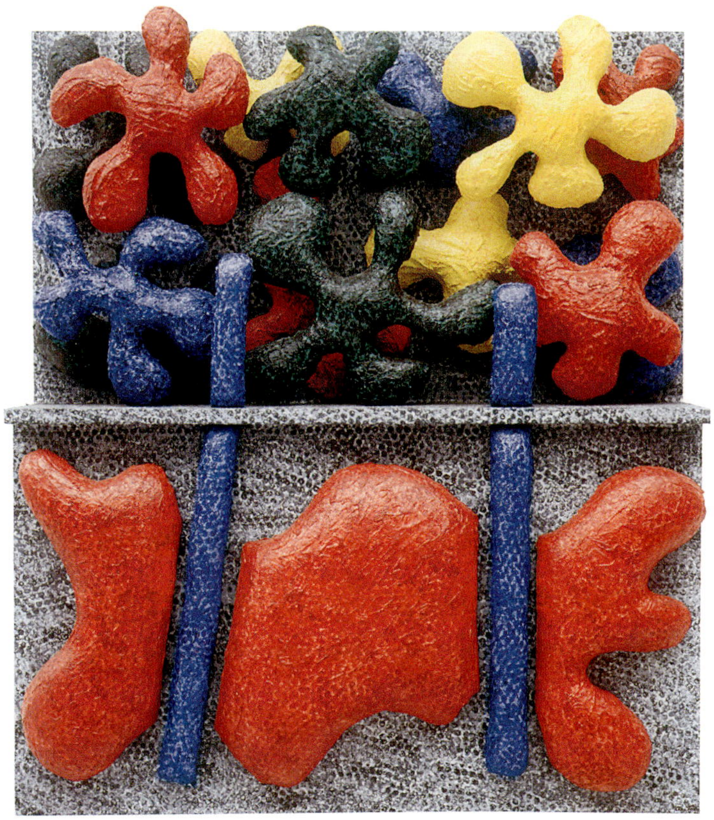

COLHEITA, 1995. [54]

O INCONSCIENTE REVELADO, 1990/1991. [55]

Detalhe. [55a]

SIGNO, 2000. [58]

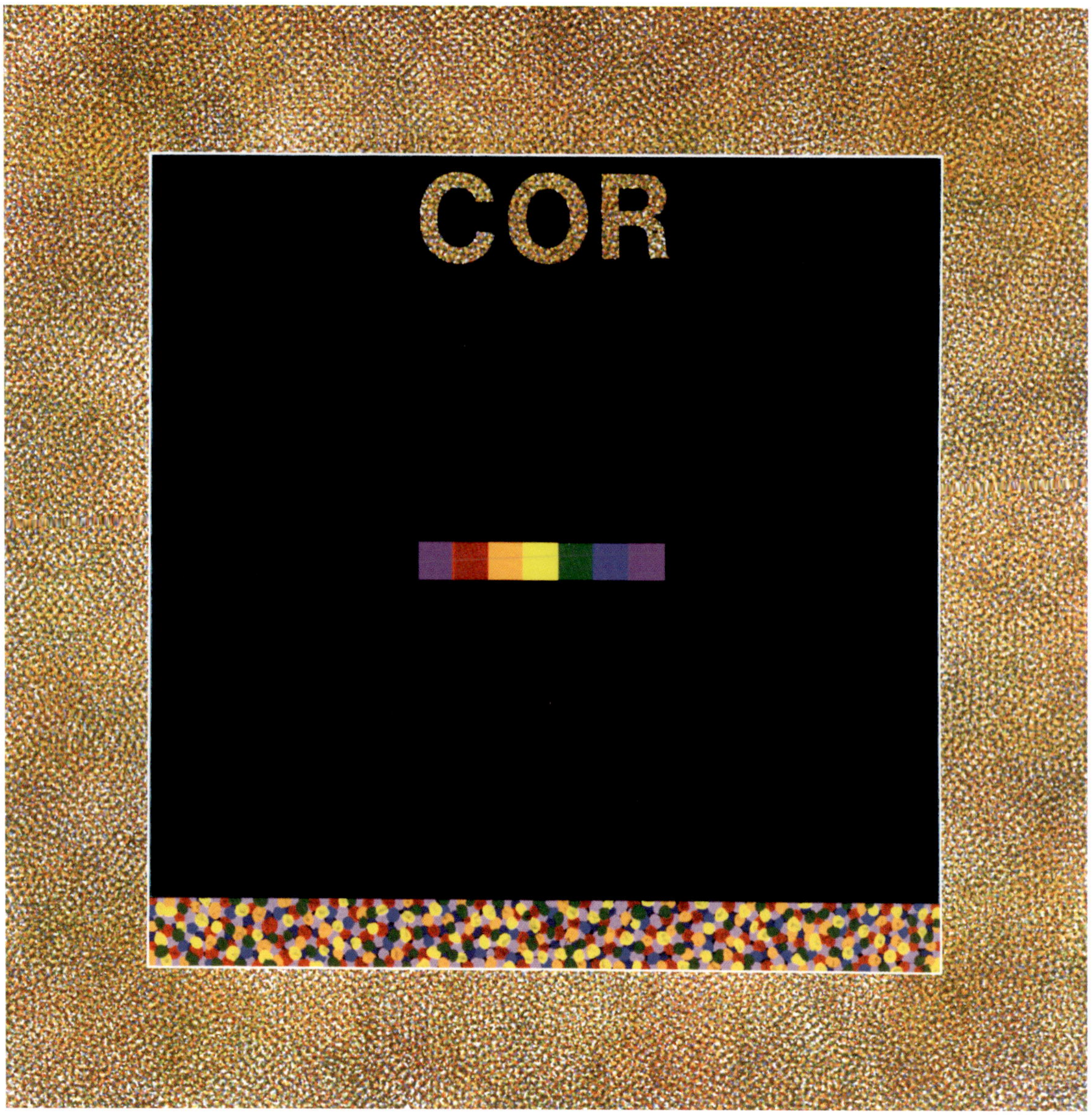

COR, 1975. [59]

COLCHA DE RETALHOS, 1982. [60]

claudio tozzi: cor pigmento luz
haroldo de campos

A cor
pensa a cor
a cor da cor
se transparenta
e é luz

pensar a luz
a luz da luz
se fragmenta
e é cor

a palavra cor
na cor
a palavra luz
na luz

o pó
a poeira
o pigmento

luz em pó
cor em pó

cor-luz
luz-cor

o íris no íris

o desarcoíris

no cinza
no quase
no branco

jaula negra
onde a cor
se enquadra

onde a cor

quase-cor
no corpo a cor
da cor

se exquadra

janela e
jaula

o quadro negro
quadriluz

janela-jaula

canta
a cor enjaulada

a cor
na janela da
cor

seu respiro
é pó
de luz

pigmento

e se ouve

pulmão
de luz

pólem
cantante

a
cor
geômetra
de si mesma
ciosa de sua
luz

funil
fusível
sol

que enfeixa
e desenfeixa

que abre em janela
e fecha em jaula

que canta

o olho
sabe

seu tacto
translumina

SEM TÍTULO, 1987. [61]

PAPAGÁLIA, 1980. [62]

A MORTE DO JACARÉ, 1990. [63]

UMA NOVA PLASTICIDADE

A obra de Claudio Tozzi sofre uma transformação profunda a partir de experiências com a cor em 1974 e 1975. A exposição realizada em São Paulo na Galeria Bonfiglioli, em 1975, que reuniu essas obras, com o título de *Cor/Pigmento/Luz*, causou uma enorme e gratificante surpresa. Os trabalhos apresentados quase nada guardavam da sua trajetória anterior. Parecia que a exposição marcava um rompimento irreconciliável, ou que a obra perdera sua organicidade. Na sua preocupação quase científica com a cor e nos excelentes resultados com a geometria cromática, permanece, entretanto, o elemento que sempre caracterizou sua arte – o tratamento gráfico.

Uma forte preocupação construtiva orientará suas pesquisas com a cor. Nesse processo de novas experimentações volta-se mais uma vez à figuração com as séries *Colchas de Retalhos* e *Trama Urbana*. As inovações com a cor vão incorporar-se às experiências anteriores, enriquecendo-as. Sua obra, aparentemente, retoma a organicidade de conjunto; mas, a partir da exposição *Cor/Pigmento/Luz*, já não é mais a mesma. Ganha maior plasticidade ao incorporar a cor na sua dimensão construtiva, sem abdicar, na sua pintura, dos aspectos gráficos que, embora presentes, já não são tão determinantes na sua obra.

Os estudos com *Cor/Pigmento/Luz* significaram uma transformação na sua linguagem, ampliando suas possibilidades de tratamento visual. Logo após uma fase de experimentação, até mesmo de arte conceitual com a cor, o artista procurou incorporar esses novos valores ao conjunto da sua obra e utiliza-os muitas vezes para a reinterpretação de temas já abordados, ou, então, abre caminho para novas temáticas figurativas, como a série dos papagaios ou a série dos coqueirais, contrariando sua preferência por temas urbanos, predominantes no conjunto de sua obra, pelo menos entre os anos 1978 e 1980.

A natureza, com o emprego da cor reticulada, intensa e vibrante, é interpretada pelo artista de uma maneira intelectual. São imagens montadas, organizadas a partir de escolha de pormenores retirados de diversos negativos e de lugares variados. Suas paisagens beira-mar são territórios construídos por meio de uma concepção geométrica, portanto abstrata, e de um racionalismo cromático. Como recortes que se encaixam, uma somatória de elementos compõe a cena. Não provoca a sensação de atmosfera. Não há bucolismo, senão uma fria referência a ele quando retrata a natureza com agrupamentos, às vezes exuberantes, de símbolos tropicais. Nas suas paisagens, tudo está claramente definido e organizado, evitando qualquer envolvimento emocional, e conduzindo-nos a uma leitura mais intelectual...

Agora suas temáticas vão construir-se por meio da cor. Interessa-se por Seurat e por seu trabalho com a imagem-cor. Como o artista pontilhista, também constrói e geometriza a cor, racionaliza a luz e trata objetivamente a figura. Contudo, sua imagem-cor não resulta de uma decodificação da luz na natureza, nem corresponde à "visão científica" de paisagens como no neo-impressionismo de Seurat.

Não há pontilhismo na obra de Claudio Tozzi. Não são pontos, são retículas realizadas com uma técnica muito simples, que substitui o pincel por um rolo de borracha reticulado. Aliás, esta técnica, trazida pelos imigrantes, era utilizada por pintores de parede no começo do século para decorar ambientes.

O pigmento de cor, em Tozzi, não é produto da observação impressionista, mas uma elaboração gráfica da impressão *offset*, do grão fotográfico, da "cor mecânica". Mario Schenberg coloca com clareza esse problema, num artigo escrito em 1977: "O pontilhismo das obras atuais de Tozzi é uma elaboração da retícula de sua gráfica que, por sua vez, já se baseia em imagens fotográficas. Há assim um abismo entre essas imagens e o ideal impressionista, que dá o espaço para a criatividade do artista".

FÁBIO MAGALHÃES

EMBRIÃO, 1990. [64]

A DANÇA, 1998. [65]

O ENTE, 1993. [66]

TERRITÓRIOS, 2003. [67]

COMO KASPAROV JOGANDO XADREZ

Não iremos refazer a trajetória do artista, apenas acrescentar que a execução dos pontinhos passou por várias etapas, inclusive a do rolo que permitia sua multiplicação em áreas cuidadosamente isoladas, partes extrapartes, por máscaras. O controle de Tozzi sobre a obra chegou à etapa final, tudo corria conforme projetado pelo Grande Inquisidor. Essa fase inflativa faz dele uma espécie de Kasparov que joga sobre dezenas de tabuleiros seu xadrez sem perder uma única partida sequer.

O estado de infalibilidade abriu brechas, como acontece a todo éden. Em reação a ele, nasce esta exposição anunciando a chegada do dionisíaco sob aspecto da retícula gestual. O rolo retornou a seu prego, a confissão da procedência confere sensualidade à obra. Tozzi, como a *ouroboros*, conseguiu morder a própria cauda, unir começo e fim num círculo atual, irradiante de possibilidades. Se uma de suas primeiras obras apresentava colagem à maneira de Kurt Schwitters, a engrenagem e a imagem do papa entre outras, tudo ligado por uma pintura desgastada, raspada, áspera, ilhas de significados emergiam do mar das formas, agora voltamos à plenitude do Egeu, o oceano avança impune entre silhuetas que não se referem nem ao mecanismo nem ao Sumo Pontífice, mas a outras encarnações formais.

Quais são as figuras que conduzem essa fase? Lembremos ao neófito em Tozzi que as anteriores eram freqüentadas por astronautas, parafusos, escadas, para citar alguns exemplos de imagens que seu fazer escolheu. A resposta é expeditiva: não há figuras mais, apenas formas. A tal ponto a distinção entre forma e imagem (ou figura) anda negligenciada, que passamos parte dos debates que sucederam a uma conferência sobre o pós-moderno em história da arte tentando iluminar o abismo entre ambas sem o qual um Parmigianino poderia ser assimilado a um Bouguereau.

Há um desencadeamento de formas em alguns quadros sem o salvo-conduto dos temas, um balé de elementos eminentemente gráficos, espirais, poliedros cujas direções são contraditas; qualquer pista que dê à profundidade a perspectiva é desmentida por uma outra que desemboca ao lado do espectador. As cores usam seus poderes abdutivos e adutivos, o vermelho insiste por meio de formas superpostas. Esses quadros em relação ao espaço sideral referem-se mais à terra e o batedor dessa vertente seria Léger.

Nos quadros em que as cores saem surdas, frias, as retículas chovem em pinceladas escuras, alcatroadas. A proposta de levitação dos quadros anteriores desaparece em prol de uma armação espacial nova, na qual a densidade das cores aliada à compacidade das formas erige uma espécie de brasão. Os emblemas alinham-se uns aos outros e a sugestão heráldica predomina.

As interpretações de linhas rememoram as tentativas cubistas de Gleizes, o pintor do grupo religioso da Abadia. Para além da analogia, percebemos que a forma impõe um perfume espiritual, um ardor de religiosidade.

NELSON AGUILAR

PROJETO ARTE URBANA, 2004. [68]

SEM TÍTULO, 1986. [69]

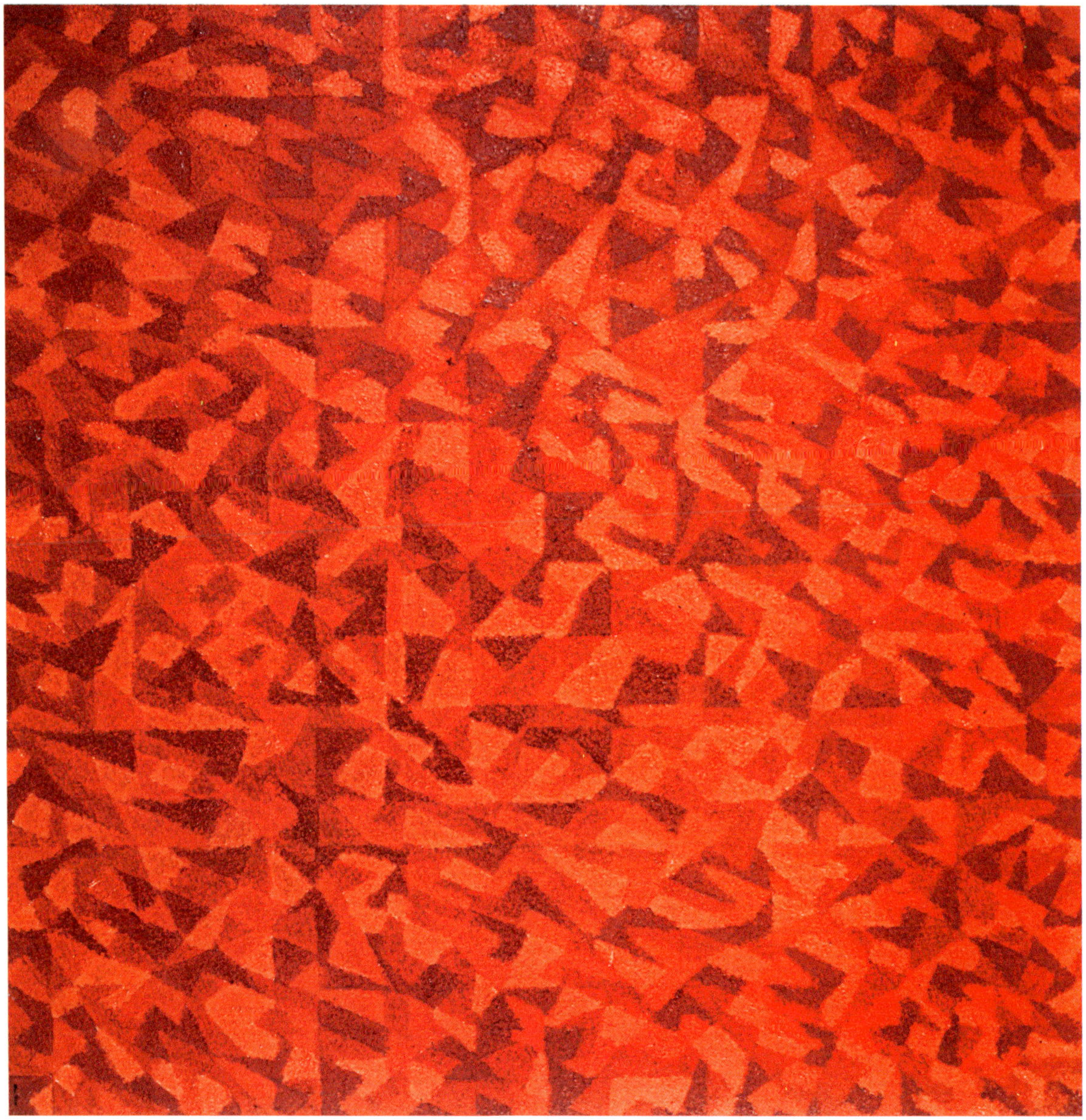

CHUVA, 2000. [70]

PASSO DA BAILARINA, 1987. [71]

ÍCONE, 2000. [72]

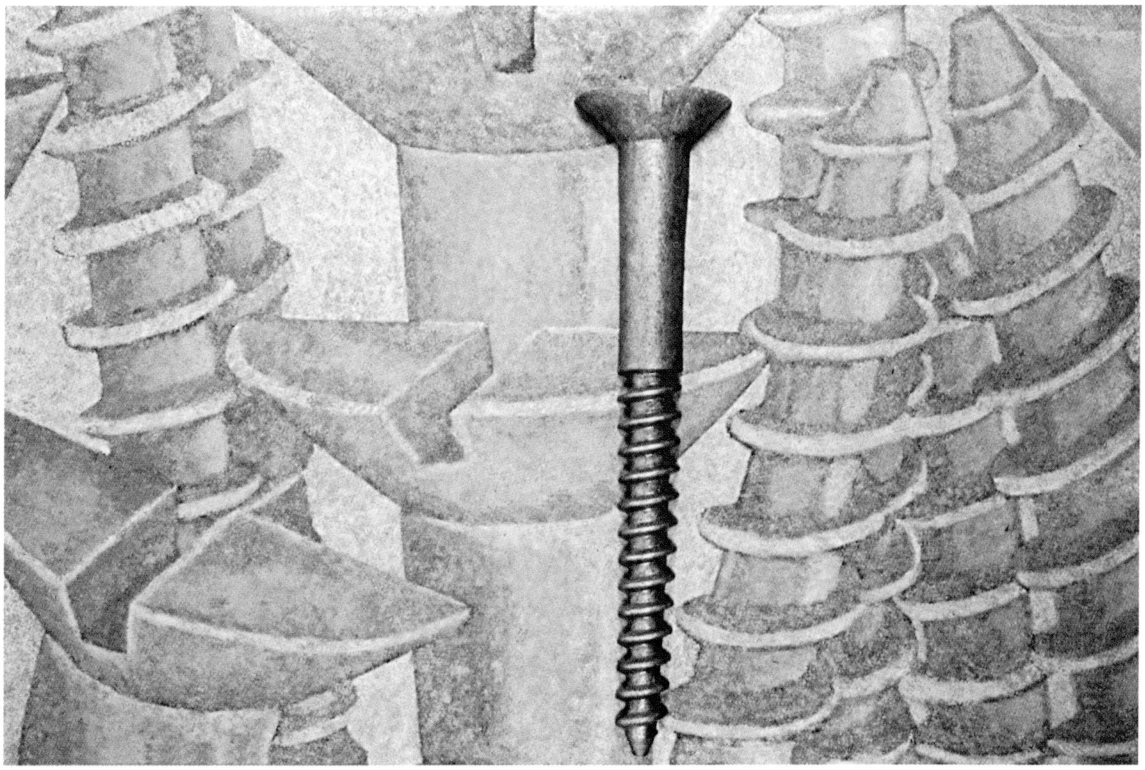

SIGNO, 2000. [73]

SEM TÍTULO, 1986. [74]

O HOMEM EM SEU CASULO

A obra criada por Claudio Tozzi é extremamente nítida. Ela se apresenta como um ser, uma presença que está ali, um fato do mundo, uma entidade *per se*, única, direta e concreta. É ser e coisa. É um objeto na ordem de existência, uma invenção humana, um ser posto no mundo. As cores desta obra são manifestadamente artificiais. A própria forma é estruturada e inventada pelo artista. Não são correspondentes às formas da natureza.

As obras criadas por Claudio Tozzi, a partir da década de 1980, têm uma existência sem par, parecem ter nascido naquele momento e se impõem ao nosso olhar como uma unidade formal. De uma maneira declarada, essas obras, em seus vários elementos constituintes – as áreas de claro e escuro, as cores, o suporte, o desenho interno, a estruturação geométrica –, formam uma unidade inteiriça. Essa é uma entidade de existência própria que tem uma integridade particularizada e não pode ser isolada em suas partes sem com isso perder o sentido e a significação.

Ao contemplarmos essas obras não resta qualquer dúvida de que elas são intencionais, destinadas a uma interlocução, carregadas de uma existência interna, alimentadas por um pensamento único, fruto intencional de uma determinação, produzidas num laboratório pessoal, engendradas num processo de contínuo autodesdobramento e, portanto, resultado de sua própria lógica (...).

A obra de Claudio Tozzi caminha permanentemente em direção à construção de si mesma. Tudo o que ela tem para dizer está contido nela mesma. Pode ser dito que ela acabou de nascer. Certamente, não é possível gostar dela da mesma maneira como estamos habituados a gostar da natureza. Não há empatia ou antropomorfização da nossa relação com ela. Não se trata de alguma coisa boa, bela e confortadora.

De alguma maneira, a nossa imaginação parece bloqueada. Nessas obras não há vazios. Ao contrário da tradição oriental, aqui, todo o espaço está ocupado. O espectador não pode percorrer estas imagens e permitir que a sua imaginação divague e que os vazios sugiram caminhos de meditação. Nós não estamos diante de uma via de espiritualização. Não há contemplação didática ou salvadora, nem podemos acreditar que o artista tenha, no processo de produção de seu trabalho, traçado para si mesmo um percurso pessoal de salvação. A arte não é um meio, não é um caminho, não é uma via para alcançar a iluminação. Ela é ela mesma, absolutamente inteiriça. Não há lugar para qualquer outra viagem.

A obra de Claudio Tozzi é, desta maneira, uma realização inteiramente ocidental, fruto de uma sociedade industrial e em contínuo processo de transformação para novas estruturas de produção. A obra se coloca como um marco de um momento de transição. Aqui, verificamos o que existe e esta existência está diante de nós com a dureza e a visibilidade urbana da construção. O homem, como esta obra, está encerrado no seu próprio casulo.

JACOB KLINTOWITZ

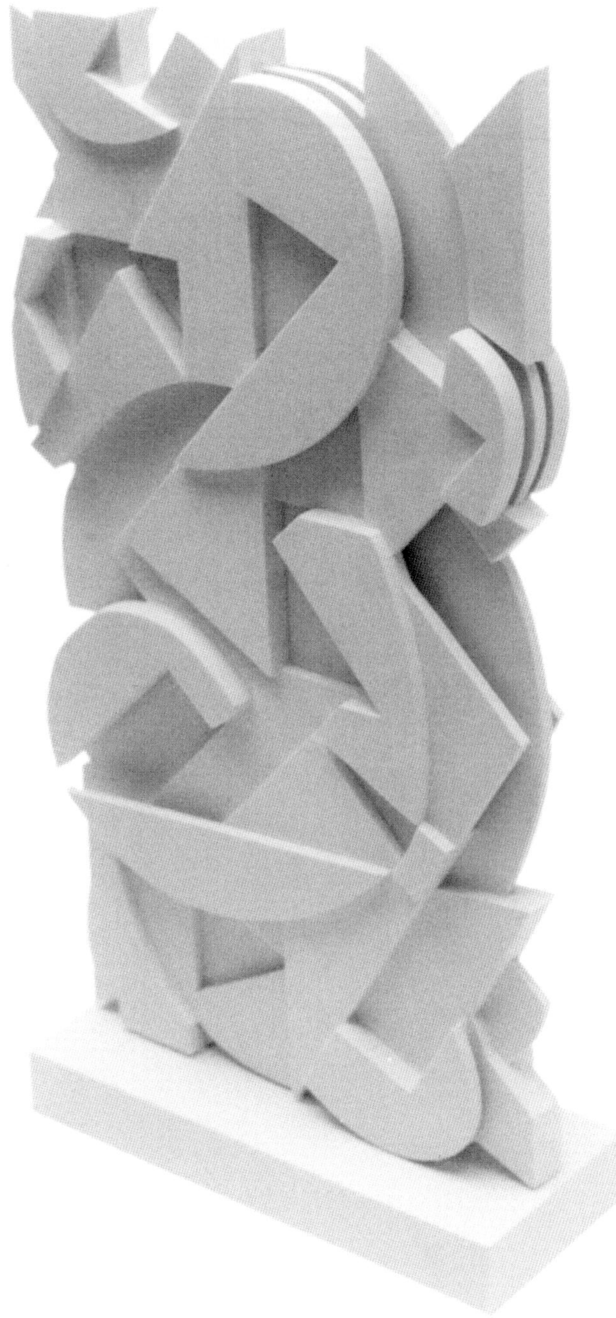

USINA DE SÍMBOLOS, 2003. [75]

PASSAGEM, 1984. [76]

PASSAGENS, 1985/1986. [77]

SEM TÍTULO, 1998. [78]

TOTEM, 1998. [79]

D'APRÈS MONDRIAN, 1984. [80]

GEOMETRIAS DO TEMPO

Nosso tempo – já se disse – é aquele do qual os deuses já partiram ou ao qual ainda não chegaram. Experiência de abandono e desamparo, a Modernidade se inicia com o advento do sujeito racional soberano que conhece a natureza e suas leis, buscando por si, e para si, os princípios de suas certezas no mundo. Conhecer significou, a partir do século XVII, dominar tudo o que escapa às mãos do homem – a contingência na natureza, o acaso na história, fortuna, temporalidade instável e adversa, no plano da ética da política – atribuindo-lhes constância, regularidade e ordem pela geometrização do espaço. Emblemas fundadores desse universo são a esfera, a régua e o compasso. À ciência "contemplativa" seguiu-se a *vita activa*, metaforizada pelos artefatos que sustentam a construção de um mundo certo em meio à temporalidade incerta. O homem fez-se engenheiro, senhor da Natureza e sua própria natureza, ele mesmo "um império dentro de um império".

Na antítese de um universo autoconfiante e regida pelo princípio da razão suficiente, encontra-se a geometria-personagem central das telas de Claudio Tozzi. Linhas ortogonais, degraus e escadas, torres e faróis estão, não obstante, desvestidos da função de orientar o homem, não indicam a boa direção. Geometria, aqui, não é a do espaço, pois Tozzi trabalha preferencialmente com o tempo. Ou antes: na tensão entre espaço e tempo, céu e terra, tudo vacila num *limiar*. Instante de hesitação, os quadros não nos sugerem habitá-los, um passo permanece em suspenso, indeciso quanto a seus resultados. Claudio reflete sobre o tempo, partindo das cidades. Se *Alphaville*, de Godard, *Blade Runner*, de Ridley Scott, *O Mundo desde o Fim*, de Paul Aster, apresentam-nas tão pouco confortáveis é por não serem tocadas por qualquer passado.

Claudio Tozzi, ao contrário, faz pensar no espaço aporético de *Zenão* de Eléia: Aquiles, a passos largos, não ultrapassa a tartaruga, permanecendo imóvel, a flecha veloz, paralisada em cada instante de sua trajetória, é flecha que não voa. Espaço e tempo, no enigma da divisão ao infinito, fixam o mundo no primeiro dia da criação. Os trabalhos de Claudio nos convidam a interrogar a condição do homem moderno, indicando sua migração metafísica, por degraus não-cartesianos. Na obra inaugural da Modernidade, o *Discurso do Método*, com a metáfora da escada, Descartes constrói as primeiras regras para desenvolver o conhecimento: "Começar sempre pelas coisas mais simples e fáceis de conhecer para, aos poucos, elevar-se como que por degraus, ao conhecimento das mais complexas". Sem recurso a regras tranqüilizadoras, o universo criado por Claudio é mais um discurso que um curso; é um antimétodo, uma vez que, diversamente da linha reta da geometria cartesiana, os quadros não apontam um caminho, mas antes deriva e desvios. Por isso, em certas telas, vemos as voltas de parafusos metamorfoseando-se em degraus, degraus em torres ou faróis, em total desequilíbrio. Antimétodo transita para anti-heróis. Nos quadros, a multidão é tão homogênea quanto cinzenta, com rostos e vidas "insignificantes". Existências anônimas, nos diz Foucault, elas "só se manifestam tropeçando com o poder, debatendo-se com ele, trocando 'palavras breves e estridentes', antes de regressarem à noite (...). Infâmia de homens simples e obscuros que devem apenas a queixas, relatórios policiais serem trazidos à luz por um instante".

Em Tozzi, a natureza artificializou-se e o artifício neutralizou-se graças às astúcias do *homo faber*. Seres avulsos confundem-se com o cenário, ambos transfigurados em fantasmagorias. Claudio está tratando da cena urbana; nela nada é signo de autoctonia ou pertencimento, e a existência é um labirinto. O de Creta, constituído por Dédalo, é traçado com medidas rigorosas, controle e precisão. Ao pensá-lo com o Minotauro, o arquiteto privilegiou a figura abstrata de um espaço móvel, percurso sem erro e sem divagações; através de movimentos alternativos da direita para a esquerda se expressa a idéia do labirinto ao revés, quando já se desfaz e desvanece com a morte do Minotauro. O labirinto de Claudio é histórico, não preexiste àquele que vai decifrar o percurso. Agora é o homem que, errante e sem eternidade garantida, constrói um labirinto. Paisagens e personagens parecem intransitivas quando o tempo figurado é o da simultaneidade e não o da sucessão. Há nas telas a presença de uma época em outra, citação de trabalhos de 1968 em 1998, como se o artista procurasse, a contrapelo, recusar a dispersão temporal. Modernidade é aqui entendida como experiência atual, existencial; indeterminação radical do presente, este não conta mais com a crença na transcendência mítica ou teológica e a obra da conciliação do sentido do mundo é de inteira responsabilidade do homem.

As "paisagens" de Claudio constituem rememorações às quais o artista se refere com a palavra alemã *Eingedenken*. Diferenciando-se da reminiscência platônica, anamnese na qual o conhecer é "reconhecer", a recordação é rememoração ativa e criadora. É manutenção no presente da totalidade do passado e possibilidade de reabrir o tempo histórico. Insólitos e inquietantes, os quadros de Claudio Tozzi não manifestam uma racionalidade geométrica mas espírito de geômetra. Da "realidade sem mistérios" engendrada pela ciência despoetizadora, Tozzi retoma o "mistério do mundo", porque sua geometria traz consigo vestígios do invisível.

OLGÁRIA MATOS

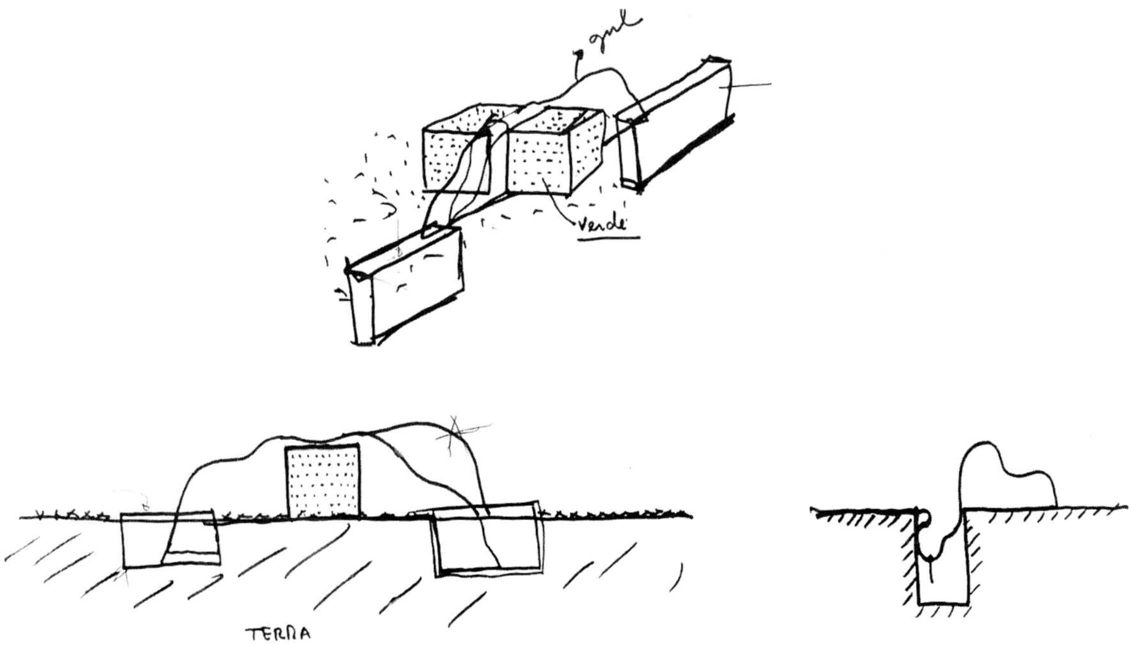

Projetos para *INTERFERÊNCIA NO ESPAÇO*, 1973. [81]

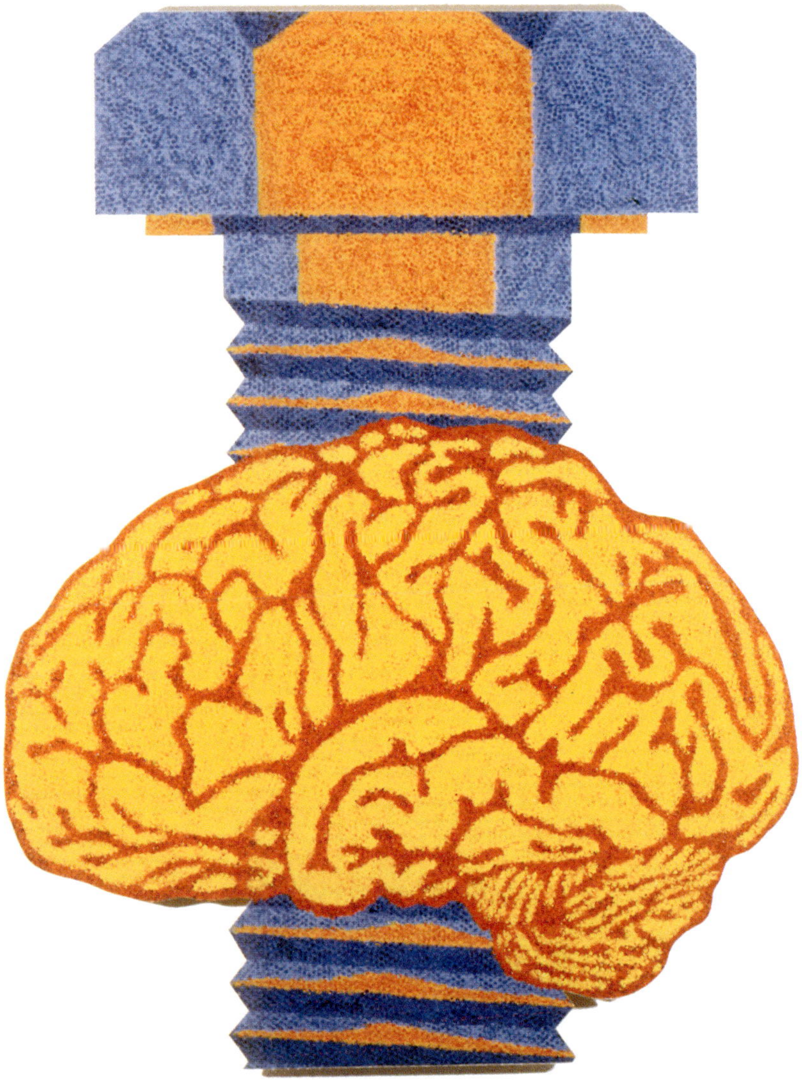

SCREW, 1974. [82]

MONGE, 1998. [83]

TRAMA RETICULAR URBANA, 1984. [84]

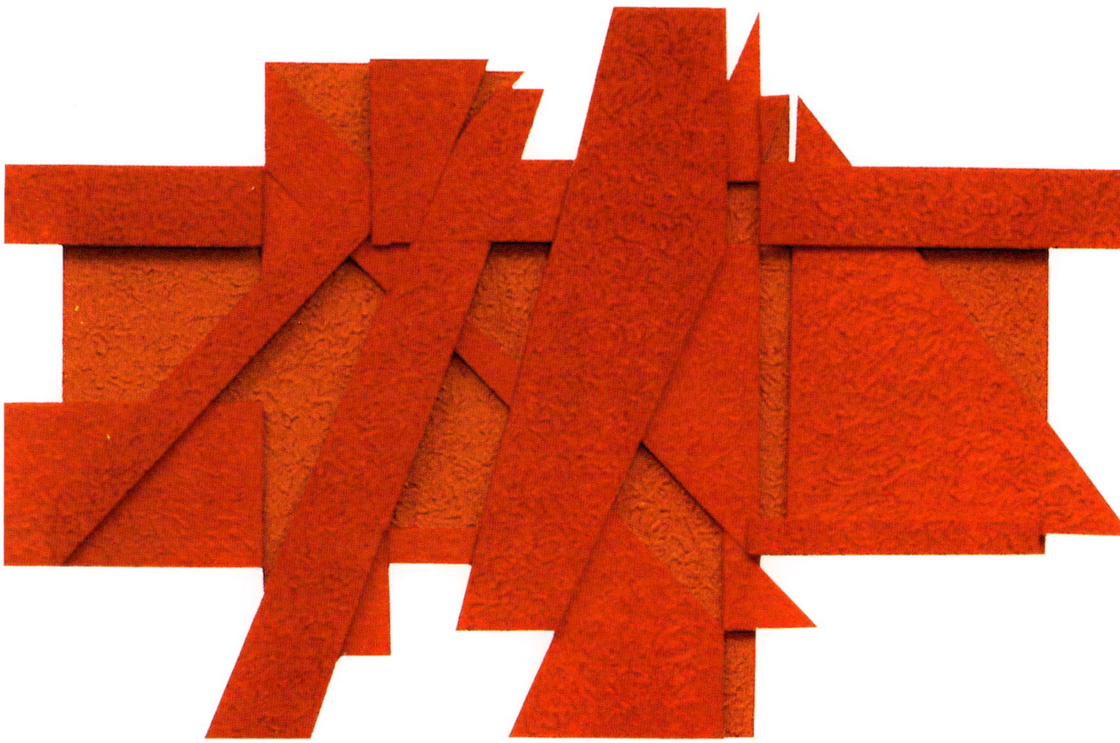

ATAQUE AÉREO, 1990. [85]

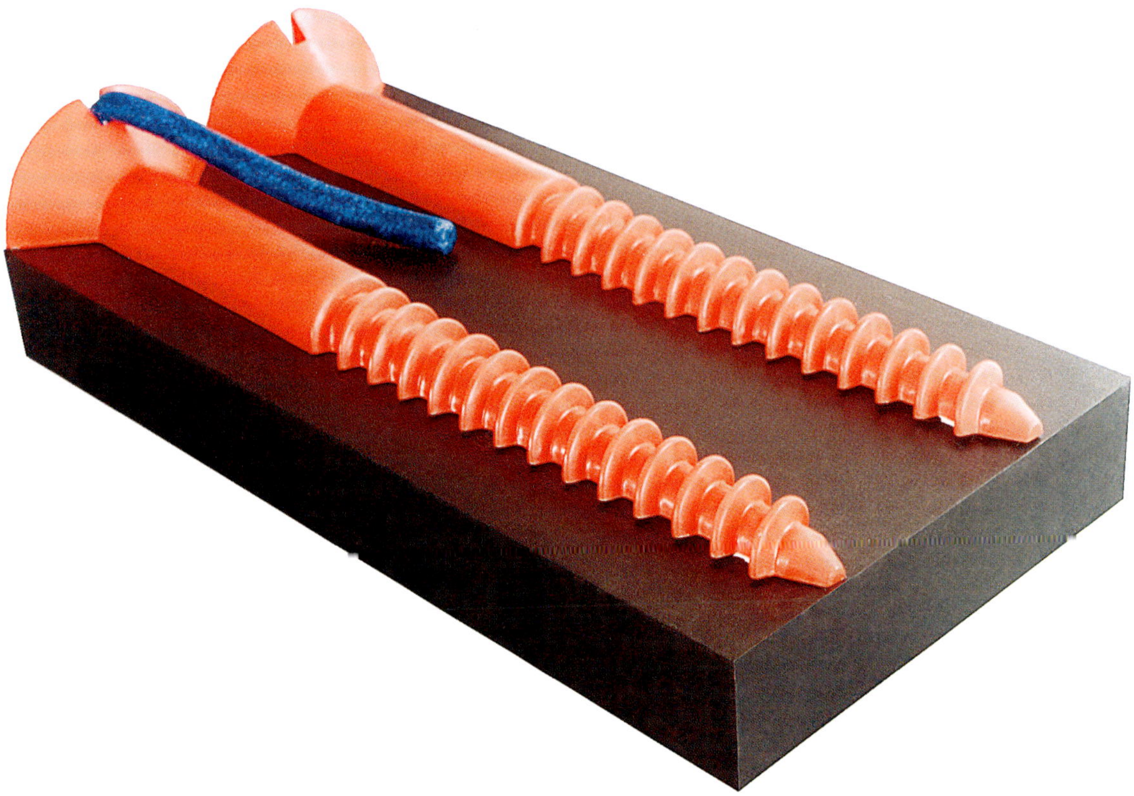

CASAL, 2000. [86]

CÓDIGO DE BARRA, 1990. [87]

GEOGRAFIA DO LUGAR NENHUM, 1995. [88]

UMA POÉTICA DO "ENTRE"

Escadas que não conduzem a nada senão à sua própria monumentalidade sígnica.

Truncados panos de muros. Lances-labirintos de degraus que arrematam em desvãos de outros degraus.
Desubicados. Ubíquos.

Escalas de cor. Escadas escaladas.
que se resolvem em contracanto de cor/sombra.
Em quinas de mais de menos luz.
Vermelhos. Azuis. Laranjas. Verdes. Claros. Escuros.

A cor tem memória (história). O pontilhismo –
Seurat sutilizado –
é outro aceno (gesto:cena) desta arte de "interstícios".

Quando a moldura não é mais âmbito
porém limite da forma
a moldura é abolida. A forma inventa ou seu recorte.
Degraus decolam soltos na insinuação do espaço.
Subsumidos no subir.

Esses signos (índices "vazios") podem também gerar figuras
ícones antropomorfos
visagens. De repente descubro na planimétrica
(e volumétrica) sobreposição de prismas vermelhos
abruptamente facetados de azul – um ídolo em repouso:
imponente sugestão caligráfica de escultura olmeca

Algo (talvez) de "pintura metafísica" nestas "passagens".
Neste meticuloso (e irônico) desconstrutivismo de espaços "entre".

Passagens: despaisagens.

HAROLDO DE CAMPOS

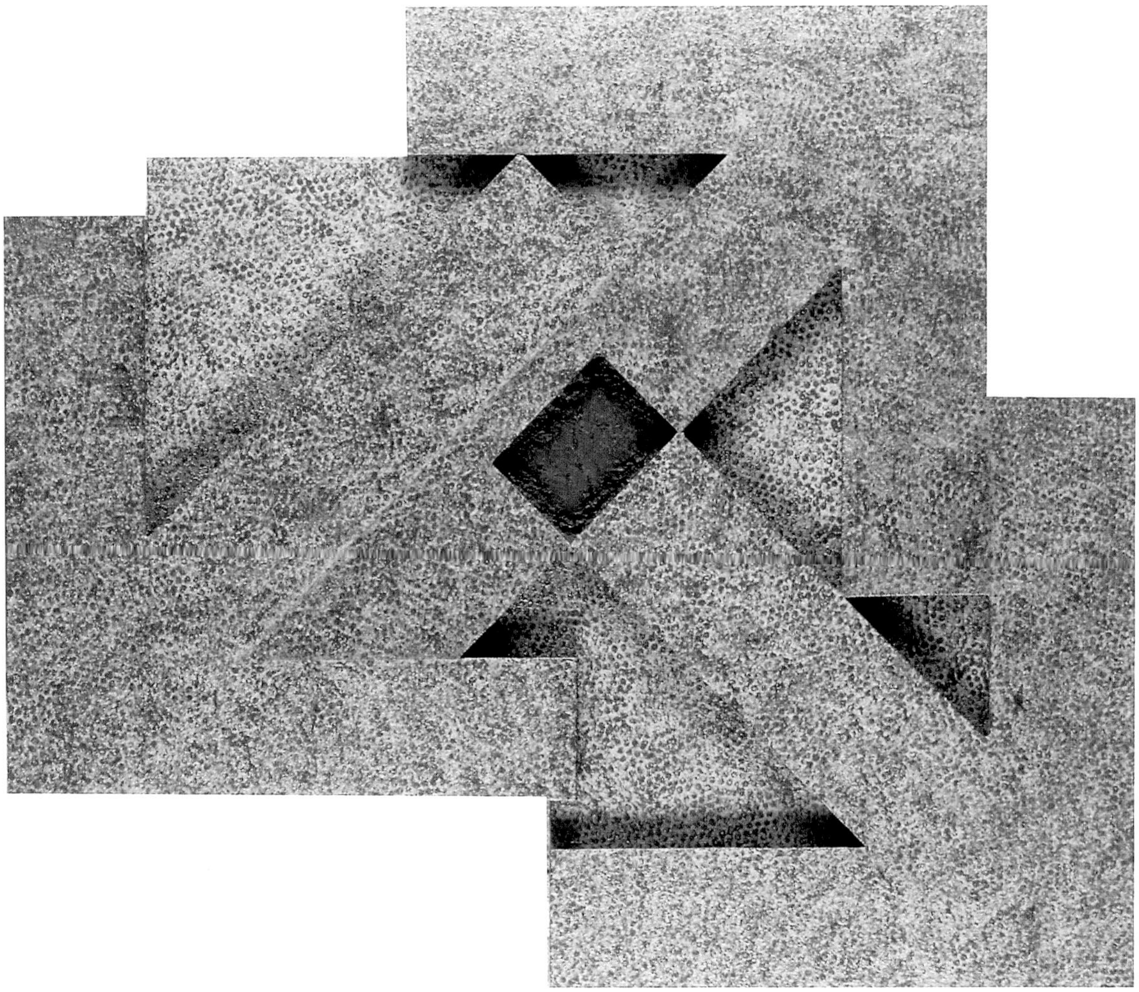

SEM TÍTULO, 1989. [89]

CIDADE, 1999. [90]

Bienal de São Paulo, 1991. [91]

Bienal de Veneza, 1976. [92]

PAINEL SESC VILANOVA, 1980. [93]

Projeto para o *PAINEL SESC VILANOVA*, 1980. [93a]

PAINEL BANKBOSTON – LÍBERO BADARÓ, 2000. [94]

PAINEL HOTEL MERCURE JARDINS, 2001. [95]

PAINEL BANKBOSTON – BERRINI, 2002. [96]

PAINEL CULTURA INGLESA, 1995. [97]

MOVIMENTO, 1990. [98]

COLCHA DE RETALHOS, 1979. [99]

Execução. [99a] [99b]

PASSAGENS EM DOZE OBSERVAÇÕES

1 O início dos anos de 1980, na evolução da obra de Claudio Tozzi, está marcado pela fusão do figurativo e do abstrato. O figurativo tratado no essencial da forma, que redunda em um processo de abstração. Essa relação entre o figurativo e o abstrato irá encontrar, logo a seguir, na série *Passagens*, a sua plena realização. Tal é o meu ponto de vista ao considerar o desenvolvimento de seu trabalho desde os anos de 1960 até hoje.

2 - Toda passagem é um "entre" um lugar e outro, um tempo e outro, um estado e outro, uma situação e outra, entre o aqui e o ali. A passagem é um meio. Mas, sendo um meio, é um lugar – um espaço. É esse espaço – centrado na escada, passagem para cima como para baixo – que ocupa o exercício pictórico de Claudio Tozzi nessa série que leva como título essa mesma palavra ambígua. É indistinto o subir ou o descer.

A ambigüidade da imagem decorre do fato de que em nenhuma tela da série há uma figura humana que possa nos dizer: esta passagem nos conduz para cima ou para baixo, segundo a postura e o passo de uma personagem que habitasse o quadro. Ausência total da figura humana. Temos diante de nossos olhos a limpidez geométrica das formas constitutivas da "passagem": escadas, muros, desvãos, colunas, pisos.

A série *Passagens* data de 1984. As pinturas de 1986 são desdobramentos formais das *Passagens*, implicando na perda da referência e assim assumindo um caráter abstrato. Na medida em que cada tela vale por si, os *Acrílico sobre Tela* de 1986 não apenas têm um "caráter" abstrato, mas *são* abstratas. *Transformação Urbana* (v. p. 12) de 1985 é a mediação das *Passagens* para as abstrações de 1986 – estas obtidas por meio de um desdobramento ou detalhamento das escadas.

3 - Já em uma das telas de *Passagens* (p. 140), Claudio Tozzi chega próximo à abstração. Digo "próximo à abstração" porque esse trabalho faz parte da série e assim sabemos que *ali está* uma escada. Mas, se o destacássemos

do contexto da série e o apresentássemos a um olhar desinformado acerca do tema de *Passagens*, esse observador diria certamente que está diante de uma pintura abstrata. Nessa pintura temos um jogo de superfícies de trapézios retângulos, empilhados, de tamanhos que decrescem a partir da base, apoiados em um trapézio escaleno, estreito, de caráter longitudinal e inclinado 30º à direita. Do outro lado dos trapézios retângulos – do lado aberto – temos triângulos azuis que conferem uma certa profundidade ao conjunto. Porque faz parte da série *Passagens*, *sabemos* que os retângulos irregulares vermelhos sobrepostos são degraus e os triângulos azuis, os seus espelhos. Só reconhecemos a referência dentro do contexto da série. Esta pintura insinua a passagem (sem trocadilho!) para os trabalhos que logo em seguida, em 1986, serão realizados.

4 - A série *Passagens* talvez seja o momento em que de modo mais acabado Claudio Tozzi lida com formas. Na medida em que abandonou o projeto estético da *pop art* passou a se interessar pelo tratamento formal dos objetos ou temas – organização do espaço plástico pela distribuição e arranjo de formas –, seja de objetos reais (escada, palmeira, colcha, parafuso etc.), seja de objetos ideais ou geométricos. Explica-se dessa maneira a ausência da figura humana em sua pintura. Trata-se de uma *pintura de coisas* ou de figuras ideais – coisas transfiguradas formalmente ou formas que adquirem o estatuto de coisas.

5 - Trata-se de grãos e não de pontos. Já se disse que Claudio Tozzi recorre ao pontilhismo. Certamente, porque de início, quando ainda ligado à *pop art*, usou a retícula gráfica à moda da Lichtenstein. Depois, em 1974 ou 1975 nos trabalhos que têm como tema a cor, a textura da superfície pintada, no todo ou em parte, *lembrava* um agrupamento de pontos. Creio que temos aí um equívoco.

Não se trata de um agrupamento de pontos que, segundo o tamanho e o uso de diferentes cores – quando contemplados a uma certa distância –, irá produzir a imagem e uma certa intensidade de luz. Não se trata disso. Portanto, não se trata de pontilhismo. A superfície dos segmentos constitutivos da imagem são cobertos de modo uniforme com uma carga de tinta não só de cor primária ou complementar, como também misturada, mediante a aplicação de um rolo reticulado ou de uma brocha, imprimindo a textura delas sobre a tela. Essa textura é uma granulação. Melhor: são grãos expandidos.

Os grãos são obtidos por meio de um rolo de borracha cuja superfície é trabalhada de forma reticular. Depois, os grãos, já mais abertos, são obtidos por meio da aplicação vertical de uma brocha sobre a tela (v. p. 4). Essa rápida reconstrução da obtenção da granulação expandida é importante para mostrar que a obra de Claudio Tozzi não lida com o pontilhismo, uma vez que este é obtido por meio de pequenas aplicações do pincel sobre a tela e sempre com cores primárias. É o caso emblemático de

Seurat. Além disso, o pontilhismo de Seurat tem uma preocupação com a representação da luz. Essa preocupação é ausente nos trabalhos de Claudio Tozzi. A luz é uniforme. A luz é a própria coloração dos grãos expandidos.

6 - Referindo-se aos trabalhos que se seguiram imediatamente às *Passagens* – conforme já mencionei, abstratos –, Sheila Leirner observa: "apesar de abstratos, ali estão as passagens, escadas, arquiteturas, os objetos do seu repertório. Mas ali está também a sua experiência pessoal com a arte – a *hard edge*, a *op art*, cubismo, futurismo, construtivismo, arte de estampa e até o ilusionismo abstrato. Trata-se – como se vê – de um referencial mais rico e estimulante". De minha parte, quero acrescentar que se há algo de *op* nas pinturas de Claudio Tozzi, isso não se deve à trama dos grãos expandidos, mas, por vezes, a um certo jogo de linhas na demarcação das superfícies coloridas. Penso em uma tela, por exemplo, como *Chuva* (v. p. 71). E sobretudo, como lembra Sheila Leirner, por seu caráter *hard edge*. Observação rápida: *Chuva* é uma tela abstrata, que não importa em referência e, não obstante, traz um título descritivo, sugerindo referência. A chuva, fenômeno instável do ponto de vista da percepção, é aqui atribuída a um conjunto de formas nítidas e cortantes. No esforço de *ver*, pode-se insinuar que a pintura está organizada por duas linhas verticais paralelas e outras duas horizontais, que podem sugerir as vidraças de uma janela. E a chuva lá fora!... Mas, podemos aceitar o título figurativo para a obra abstrata como uma simples lembrança sentimental. Conforme já foi observado, a obra de Claudio Tozzi, de maneira geral, pode ser classificada (que mania!) como abstração figurativa ou figuração abstrata – por mais esdrúxulas que essas expressões possam ser. Trata-se de reconhecer, em suas imagens, fundamentalmente, uma representação abstrata que sugere figuração ou, fundamentalmente, uma figuração tratada segundo procedimentos abstratos. E aí temos um importante traço das *Passagens*.

7 - *Passagens* não é o título de uma obra individual, mas de uma série. De uma série que tem o caráter de ser, em seu conjunto, *uma* obra, uma vez que todos os trabalhos têm o mesmo título e assim nenhum deles pode ser identificado como um indivíduo.

8 - *Passagens* é também um momento de transição na obra de Claudio Tozzi – um momento divisor de águas de sua produção, seja quanto à organização formal, seja quanto ao abandono da figuração. Enquanto as figurações estavam comprometidas com a *pop art* nos anos de 1960 e de 1970, agora na série *Passagens* a figuração ganha um caráter construtivista, para em seguida ser abandonada em favor da abstração.

A figuração será retomada apenas em 1998, ao lado da representação abstrata, como em *Maio 68/Maio 98 Geometria do Tempo* (v. p. 128). Não se trata de uma nova figuração, mas uma retomada das imagens de multidão e do parafuso segundo novas soluções de organização figurativa e em alguns casos com o emprego ainda da técnica do grão expandido.

No plano temático podemos estabelecer uma aproximação entre a fase *pop art* e *Passagens.* Assim como na primeira, em determinadas obras, houve um comprometimento com a vida social – cenas de protesto ou o parafuso atarraxando a massa encefálica, alusões à ditadura militar de então –, agora, *Passagens* de 1984 pode ser vista como uma metáfora da transição política que então o país vivia – o movimento das "Diretas Já!" e o restabelecimento da democracia.

Passagens ocupa um lugar privilegiado na obra de Claudio Tozzi.

9 - Em 1977 o tema de *Passagens* já aparece: a escada. Também naquele momento o título é o mesmo para todas as obras: *Escada.* Assim, não há também como indicar de modo específico determinada tela, pois o nome, o tamanho e a técnica são os mesmos. Já aqui temos uma figuração que tende para a abstração. Ao contemplarmos a tela, reconhecemos uma escada – há uma referência. Mas, é uma escada que não se encontraria em lugar algum. Trata-se de um trabalho com e de formas geométricas em função de um jogo cromático. Tanto as escadas de 1977 como as de 1984, agora vistas como "passagens", e não como um objeto que aí está, inerte – dizia, tanto as primeiras como as segundas –, são trabalhos elaborados, refletidos, construídos. As diferenças são estas: as primeiras mostram um objeto inerte, as segundas fazem apelo ao movimento, ao ato do deslocamento de um lugar para outro. Além disso, as escadas de 1977 são mostradas de modo pleno, enquanto as de 1984 são tratadas no detalhe.

10 - Outro traço importante que caracteriza o trabalho de Claudio Tozzi é a ausência de reconhecimento do ato gestual da pintura. Sobre esse ponto muito bem já observou Aracy Amaral. Após a fase inicial ligada à *pop art,* o artista "desenvolveria uma pintura em que mantém um permanente distanciamento físico do gesto sobre a tela". Estamos no pólo oposto da *action painting.* Em contrapartida, creio que a imagem construída segundo a estética da *pop art* já se ressente do reconhecimento do gestual na sua confecção. De fato, a imagem da *pop art* é "construída". Não é construtivismo, mas é construída. Quanto à carreira de Claudio Tozzi, parece-me que do caráter "construído" das pinturas da juventude ligadas à *pop art* foi um passo a adesão ao construtivismo. Já Flávio Império também havia constatado: "A mão não é seu faceirismo./Aparentemente ausente/ela se ocupa de mil tarefas ocultas/auxiliares paralelas/nos muitos gestos do construir". Embora minha referência aqui seja a série *Passagens,* permito-me fazer uma observação geral em função das últimas considerações. A pintura de Claudio Tozzi, desde a primeira até a mais recente, é cálculo. É o resultado de um conjunto de operações formais, segundo o feliz casa-

mento entre discernimento e sensibilidade. Mão aparentemente ausente porque a sua presença é cálculo. Daí formou o seu estilo.

11 - Retomando uma observação já feita. *Passagens*: o título vale para cada tela e para a série completa. Isso indica que todas as telas que compõem a série podem ser consideradas como constitutivas de uma só obra. Cada tela é um momento de uma mesma obra. Postas lado a lado são desdobramentos de uma mesma intuição, de uma mesma concepção plástica, de uma mesma solução formal. Além disso, o tema confere unidade à série, ou seja, faz da série uma obra. Fazer a multiplicidade valer como unidade já insinua o caráter de cálculo que domina a série. Aliás, caráter que está presente em toda a obra de Claudio Tozzi, desde seus primeiros trabalhos ligados à *pop art*. Entretanto, aqui, na série *Passagens*, o cálculo como valor estético se impõe de maneira forte. Nada é acidental, não há um plano a mais ou a menos, nada é acessório, o rigor formal imprime ao tema – escadas que são passagens, passagens que são desvãos – o essencial.

12 - Ao *ler* a obra de Claudio Tozzi, em particular a série *Passagens*, tenho encontros e desencontros com alguns críticos. Além dos dois que citei, lembro ainda Daisy Peccinini, Olívio Tavares de Araújo, Frederico Morais. Os encontros reafirmam traços da pintura de Claudio Tozzi que com ênfase variável são reconhecidos por distintos olhares. Já os desencontros, mais uma vez, mostram que as obras de arte *falam* por muitas bocas.

VICTOR KNOLL

PASSAGEM, 1984. [100]

POR UMA ARTE DEMOCRÁTICA

Um paulistano que a cidade envolveu num abraço e não quis soltar. Questão de mutualidades. A arte saiu dentre paredes para se mostrar despida e linda. As pessoas festejam o acontecimento. São Paulo agradece e retribui. É sempre agradável trocar os riscos confusos do protesto desordenado pela elaboração de painéis coloridos, que buscam olhares perdidos em imagens sujas. Liberdade disciplinada se interpõe entre fachadas envolvidas no maltrato constante da cidade que se vê embalada no descaso.

A mão do artista conduz cores e formas que escapam dos palcos elitizados e se fazem visíveis a olhares anônimos. A *Colcha de Retalhos* – painel na estação Sé do metrô (São Paulo, 1979) – dispõe a antiga arte popular a dividir espaços com o vai-e-vem dos trens. O painel *Zebra* na Praça da República (São Paulo, 1972) rouba do mais distraído menino que passa pelas proximidades ou do mais preocupado executivo um olhar, ainda que rápido, num primeiro contato. A metamorfose acontece no dinamismo da consciência que precisa encontrar motivos para realizar os trajetos de um mundo que se organiza. O belo tem muitas faces. Captá-las para tornar possível sua representação é trabalho do artista. Claudio Tozzi tem dado continuidade a esse processo que provoca o diálogo da sensibilidade com as cores e impulsiona a percepção. Em contrastes ideológicos, ele constrói, silenciosamente, espaços democráticos clamados e contidos.

O povo gosta do que é bonito. É capaz de selecionar elementos e se embrenhar no processo criativo. É capaz de se educar um pouco por dia quando a violência da cidade cede lugar a um componente artístico, que provoca e remove as raízes profundas do ser. Emissão e recepção se encontram em momentos inesperados que a cidade, de repente, oferece, concretizando relações em espaços que deixam de ser neutros. Arte e pessoas ou multidões precisam se encontrar. Claudio Tozzi tem promovido este encontro, porque busca, nas formas e cores, um meio viável para democratizar, sempre mais, arte e idéias. A transfiguração de seres e objetos constrói um percurso histórico que envolve cidade, arte, público, tornando possível criação e comunicação numa dimensão muito mais abrangente. Neste ponto reside a habilidade de seu criar artístico e de anular a opressão do ambiente fechado.

Talvez as marcas da ditadura militar tenham levado o artista a procurar e construir espaços novos para a expansão de sua capacidade inata de se comunicar. A mais dura imagem de parafusos com sua simbologia inflexível pode ser visualizada através de formas lúdicas que a cor consegue plasmar. E uma compreensão do mundo, bastante particular, integra-se no complexo arquitetônico da cidade para individualizá-lo diante de cada olhar. Paredes anônimas recebem caracteres que lhes dão identidade e forjam a atenção daqueles que passariam pelas ruas dispersos ou fechados para as faces que a cidade exibe.

Cores, fantasia, brincadeira. Qualquer criança é capaz de parar diante do quadro *A Luta*, 1970. É divertido. Pode-se recompor a figura. Trocar as posições. Tentar a quebra do isolamento. Ou mesmo imaginar a relutância de uma personagem brigando com a própria sombra, no mundo de fragmentações. As cores falam por si, despedaçam as figuras, liquidificam o protagonista, separam as partes de seu corpo. Os quadrinhos que compõem a tela retomam uma estrutura artística medieval, que coloca no mesmo plano indivíduos tão distantes historicamente e tão próximos em seus desígnios. De costas, uns para os outros, os movimentos os conduzem em direções opostas. A comunicação parece impossível.

Se as cores criam um mundo de fantasia e ilusão, um olhar inocente desperta para um jogo, em que as imagens brincam diante dos olhos e constroem um espaço capaz de quebrar o isolamento do interlocutor. A mensagem do artista cria, através de caminhos opostos, pontos de convergência que tornam a convivência menos dura, menos fria. Arte e artista desenvolvem, assim, projetos que vão marcando e documentando uma época. O rosto de Che – *Guevara Vivo ou Morto*, 1967 – é a imagem mais forte desta luta de um tempo que só pode ser conhecido e sentido graças à sensibilidade de artistas como Claudio Tozzi.

IOLANDA HÚNGARO

NAS TRILHAS DA USP

As obras recentes de Claudio Tozzi contêm muito das reminiscências de fases anteriores pelas quais percorreu sua poética visual. Tozzi é, nas palavras de Frederico Moraes, um "construtor de imagens" e, nesse sentido, sua produção somou transformações, sínteses de conquistas passadas e memórias de suas vivências. Por vezes, sua trajetória artística perpassou momentos expressivos do percurso histórico do Museu de Arte Contemporânea da Universidade de São Paulo (MAC-USP).

É impossível dissociar o artista Claudio Tozzi de sua carreira na Universidade de São Paulo, como docente-pesquisador da Faculdade de Arquitetura e Urbanismo (FAU-USP). Na década de 1960, a denominada FAU Maranhão marcou as origens de seu processo criativo. Deve-se lembrar que o prédio da FAU, na Vila Penteado, um casarão de estilo *art nouveau*, era o lugar dos cursos de arquitetura e ali bem próximo estavam as faculdades de Economia, Filosofia, Ciências e Letras da USP, constituindo um espaço politizado, pleno de debates e de criatividade.

Essa ambientação teceu as propostas do artista que despontou como ganhador do concurso de cartazes do XI Salão Paulista de Arte Moderna (1963). Nessa época, as diretrizes dos Centros Populares de Cultura (CPCs), exerceram enorme influência no trabalho de vários artistas jovens de vanguarda como Tozzi. Sobre o contexto de sua emergência, Tozzi afirmava em 1977: "Uma das características da arte brasileira de vanguarda dos anos sessenta é a preocupação com o coletivo". Inserida nessa questão sociopolítica, a linguagem do artista utilizou os meios de comunicação, abarcando desde sinais de trânsito, letreiros, *outdoors*, histórias em quadrinhos até processos fotomecânicos de reprodução.

O artista associou-se ao MAC-USP, especialmente em interferências ocorridas nas mostras Jovem Arte Contemporânea (JAC). A partir de 1963, o MAC-USP adotou uma postura inovadora diante da produção de novos artistas, com uma programação anual de mostras que atribuíam "prêmios de aquisição", como as exposições: Jovem Desenho Nacional e Jovem Gravura Nacional. No ano de 1967, essas duas mostras foram reunidas e transformadas na JAC, que priorizava o incentivo aos novos artistas nacionais de vanguarda.

Com as várias edições da JAC, Walter Zanini, diretor do MAC-USP de 1963 a 1978, aspirava a uma idéia de museu ativo que contemplasse as funções tradicionais museológicas, como a ampliação da coleção e a conservação de obras já consagradas e, simultaneamente, pudesse ser lugar de novas pesquisas e novos artistas – era uma nova atitude frente ao artista e ao público. Claudio Tozzi participou das edições da JAC em 1967, 1968 e 1970, com destaque especial entre as jovens promessas que surgiram nesse momento.

Nas suas criações iniciais, houve o reflexo direto dos aspectos político-sociais da época, aliando sua poética à de outros artistas, cujas obras encontram-se também no MAC-USP, e que, juntas, responderam aos anos ácidos da ditadura com expressividade polêmica e combativa. Esses mesmos anos também marcaram o início da constituição do acervo do MAC-USP. Um dos pontos significativos dessa produção de Tozzi é o painel *Guevara Vivo ou Morto* (1967), exposto no Salão Nacional de Arte Contemporânea e destruído a machadadas, sendo posteriormente restaurado pelo artista.

Ainda nesse período, Tozzi arrancou imagens de cabeçalhos dos jornais e as exprimiu por efeitos dos quadrinhos e outros recursos da *pop art*. No momento seguinte, em contato com o real, tornou-se mais crítico e menos imediato, surgindo então as pesquisas ópticas e séries como a dos parafusos, gravuras e móbiles, nas quais o artista agregou desenho e pintura aos objetos da era tecnológica. É importante ressaltar que a programação do MAC-USP esteve na mesma direção, nesse período, abrindo caminho para novas linguagens, entre elas a produção de Arte Conceitual e a de Arte Tecnológica.

Na Coleção MAC-USP, Tozzi apareceu envolvido com a arte contemporânea em obras que retomaram a figuração e com diversas propostas realizadas pelo museu universitário. Essas buscas puderam ser detectadas, por exemplo, nas sinalizações de ícones, em temáticas por vezes mais políticas ou na ênfase mais construtiva das formas ou, ainda, no desenvolvimento de pesquisas estéticas dentro do acervo.

Durante as décadas de 1970 e 1980, o acervo do MAC-USP recebeu uma grande quantidade de gravuras, em diversas técnicas; entre as aquisições, 21 serigrafias do álbum *A Obra de Arte e Sua Multiplicação: Estudo do Processo de Reprodução por Serigrafia*, que compôs a dissertação de mestrado de Tozzi, apresentada à FAU, em 1980.

Em maio de 2002, Claudio Tozzi participou de um novo projeto no MAC-USP, a série *Encontro com Artistas*. Juntamente com outros artistas de renome, como Ivald Granato, Maria Bonomi, Antonio Henrique Amaral, Carlos Vergara e Amílcar de Castro, Tozzi abriu um canal de diálogo com os pesquisadores e docentes do MAC-USP sobre as necessidades emergentes para um museu de arte contemporânea.

Dessas discussões nasceu o projeto de exposição "Nave dos Insensatos", reunindo a pesquisa curatorial com a pesquisa da trajetória artística individual e a coletiva. O acervo do MAC-USP foi ponto de referência para compor essa mostra, pois cada um dos artistas possui obras no museu que, somadas às obras de suas coleções particulares, selecionadas pelos curadores, no ateliê de cada participante, cobrirão lacunas do acervo. A temática do projeto de exposição, em andamento, está associada à tela *Nave dos Insensatos* de Hieronymus Bosch (1450-1526), expressando a idéia de que as contradições do mundo provocam dúvidas e equívocos. Nesse contexto, todos são navegantes em busca de um lugar seguro.

Em síntese, o processo criativo de Claudio Tozzi é composto por fases que, muito embora pareçam ser bem distintas umas das outras, vêm de caminhos que partiram do desenvolvimento da própria produção e do contexto vivido – o MAC-USP vem fazendo parte do universo de experiências desse artista. A emergência de talentos como Tozzi, em mostras promovidas pelo Museu de Arte Contemporânea da USP, expressa a preocupação da instituição em ser "celeiro" de novas possibilidades e linguagens artísticas. Ao longo de seus quarenta anos, iniciados em 1963, o MAC-USP pode orgulhar-se de sua trajetória e dos artistas, como Claudio Tozzi, que compõem seu acervo de excelência.

Elza Ajzenberg

A LUTA, 1970. [101]

PELAS RUAS

ZEBRA, 1972. [102]

Execução. [102a]

PAINEL EDIFÍCIO SPAZIO 2222, 2000. [103]

PAINEL EDIFÍCIO SPAZIO 2222, 2000. [104]

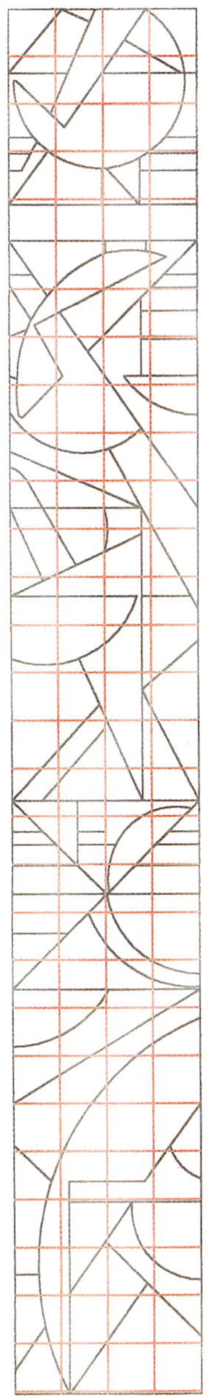

MODULAÇÃO PARA DESENHO

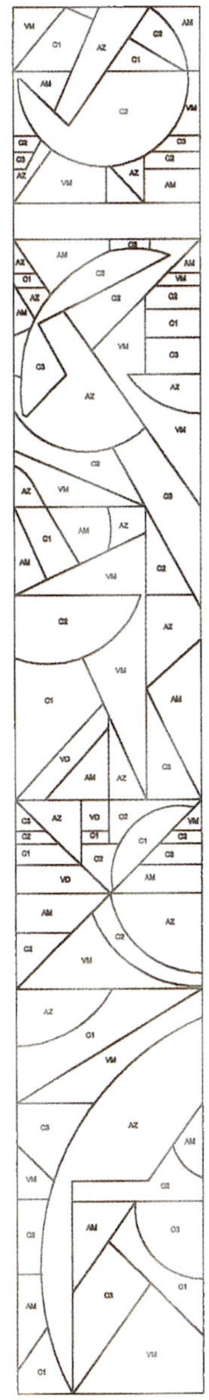

ESQUEMA CROMÁTICO

LEGENDA

AM	AMARELO	
AZ	AZUL	
C1	CINZA CLARO	
C2	CINZA MEDIO	
C3	CINZA ESCURO	
VD	VERDE	
VM	VERMELHO	

Projeto do *PAINEL EDIFÍCIO SPAZIO 2222*, 2000. [104a]

EDIFÍCIO EXCLUSIVE, 2003. [105]

EDIFÍCIO EXCLUSIVE, execução. [105a]

CONCURSO CREA SÃO PAULO, década de 1970. [106]

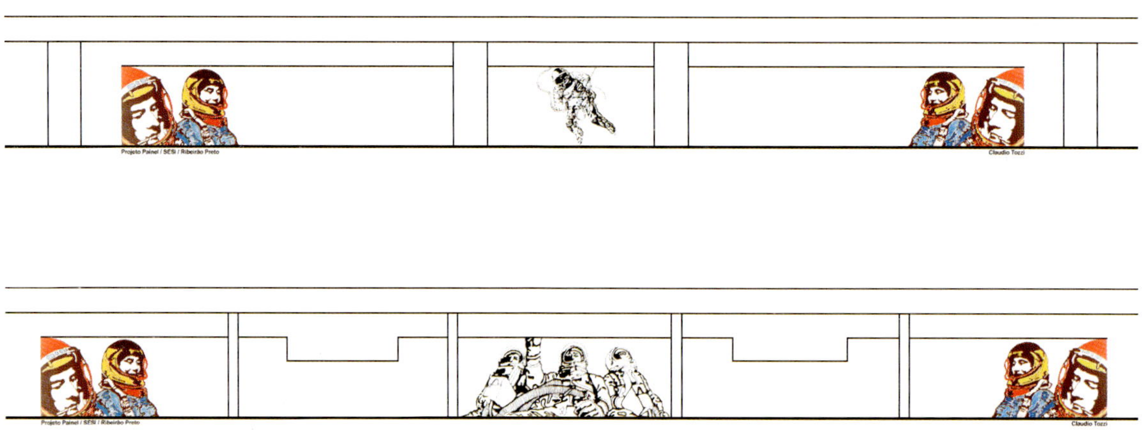

Projeto para o *PAINEL SESI RIBEIRÃO PRETO*, 1970. [107]

VISUALSCAPE

O panorama urbano modifica-se como um corpo que se expande espacial e cromaticamente. É por este motivo que a comunicação visual está se tornando, cada vez mais, um dos elementos da estética no que se refere a seu significado mais profundo, isto é, o sentimento pulsante do desejo que interage com os fluxos de uma metrópole, no caso São Paulo, para transformá-los.

O tom cinza do "concreto" armado vai cedendo lugar a novas percepções que modificam os edifícios tradicionais, fazendo com que se transformem em obras de arte vivas. Antes este aspecto era, tomado em seu sentido lato, da competência exclusiva da arquitetura: aquela que constrói volumes sólidos e projeta as condições da modernidade. Hoje, o estilo, no que se refere às dimensões artísticas que se dilatam nos corpos urbanos, envolve, cada vez mais, as fachadas dos edifícios.

E Claudio Tozzi transforma aquelas que eram fachadas anônimas em faces curiosas e surpresas, que quebram a uniformidade do transitar e inserem angulações visuais agudas e pluriformes que, nas suas variações cromáticas do azul, fazem "angélica" sob muitos sentidos e muitas prospectivas uma avenida como a Angélica. A fachada deste edifício Exclusive é tratada também e sobretudo no seu aspecto corpóreo. Como "face celestial" que mescla polifonias e policromias exatamente enquanto consegue emitir uma multiplicidade de códigos visuais que não são mais absorvidos passivamente mas que requerem uma ativa participação do indivíduo metropolitano, atento observador das diferenças e não das identidades.

Em seu transitar, a comunicação visual contribui em focar a atenção em algo de extraordinário, o que, sem ela, seria um panorama normal. Por este motivo é que Claudio Tozzi é um artista que vive e transforma – transgride – os locais estáticos e normais, transformando-os em *áreas de trânsito visual*, em áreas que forçam o sujeito que olha para o alto a olhar também *para dentro de si mes-*

mo e, neste processo duplo, experimentar o tremor do desejo.

Inserir cada vez mais este tipo multíplice de visualscape entre as frestas metropolitanas é o desafio que aceita a condição da metrópole comunicacional como o contexto dentro do qual escorre o pular contemporâneo que não se adapta simplesmente (como demasiadas vezes tende-se a sustentar), mas que modifica e "se" modifica dentro e contra a tradicional uniformidade para difundir o prazer da multiplicidade.

MASSIMO CANEVACCI

URBS, 1996. [108]

PROJETO ARTE URBANA, 2004. [109]

PROJETO ARTE URBANA, 2004. [110]

Tozzi

PT-OXT

PAZ
Guarda

TRAMA RETICULAR URBANA, 1983. [112]

O FAZER DE UM ARTISTA-ARQUITETO

O atual processo de produzir e consumir a cidade modifica-se com o crescente e diversificado processo cultural. Substitui-se o conceito tradicional de pensar e olhar a cidade, de propor-lhe sobre o existente, conferindo-lhe imagens que a apontam como o lugar onde novos protagonistas trabalham de maneira singular, estimulando novas relações espaciais. Anseios, valores, ritos, enfim, suas emoções urbanas mesclam-se de imagens públicas e privadas onde as artes plásticas integram-se nesta nova metodologia de ver e pensar a cidade. A arte é estimulada a se projetar fora de seu tradicional meio – galerias de arte e museus, espaços herméticos e fechados – invadindo ruas, praças, espaços comunitários e coletivos, lugares públicos. A imagem da cultura urbana, da sociabilidade, tomando o seu espaço na paisagem, no ambiente urbano, na vida das pessoas.

Assim, permite-se verificar que, na arte contemporânea pós-vanguardista, cabe ao artista o desafio da atitude criadora de fazer aquilo que julgar interessante.

Claudio Tozzi é um desses protagonistas que traz indagações com uma expressão singular de imagens comuns de fatos e objetos públicos e do cotidiano, que trabalha além da mera transposição formal. Obras que se tornam referências, pois foram pensadas naquele espaço total incorporado dentro desta visão poética.

Conheço o trabalho do artista Claudio Tozzi desde os idos do início de 1970 e, desde meados da mesma década, tenho compartilhado de aulas com o também arquiteto e professor, e nelas falamos sobre estrutura da linguagem visual e as questões imagéticas urbanas que envolvem percepção visual na Faculdade de Arquitetura e Urbanismo da Universidade de São Paulo (FAU-USP). Com o passar dos anos e das oportunidades, continuei sempre desfrutando de sua amizade e pude confirmar a retidão de seu caráter. Tanto é verdade que, na virada do século, aceitei ser seu orientador na sua carreira acadêmica de doutorando.

Claudio Tozzi traça uma leitura sistemática de sua trajetória artística mostrando suas imagens incorporadas no espaço da arquitetura e da cidade. Destaca-se a nítida parceria do artista com o arquiteto num singular processo multidisciplinar. Enfim, uma arte única. Afirma que o seu processo da construção da imagem e sua aplicação são sempre relacionados com o espaço urbano.

De modo muito didático o professor Tozzi atravessa nosso olhar perante a realidade visível: Guevara, astronautas, bandido da luz vermelha, parafusos, papagálias, colcha de retalhos, trama urbana, passagens... Depois, revisitação mágica e alegórica no tempo e no espaço, geometrias no tempo, rememorações, arquitetura, ambiente e artes plásticas, unidades de ação e pensamento. Massas de cor, pinturas objetos, *land art*, intervenções, *performances*, instalações tornam-se linguagens que se integram e se fundem com a arquitetura, com a cidade, com a paisagem urbana e com a natureza.

A sua trajetória no panorama das artes no Brasil está contextualizada na sua produção artística e profissional. Daí a questão do processo de construção de suas imagens aplicada e relacionada com o espaço da cidade. Configura-se, finalmente que é arte no lugar da arquitetura no fazer de um artista plástico e arquiteto.

ISSAO MINAMI

CARÍCIAS NA METRÓPOLE

Entre todas as grandes cidades globais é difícil encontrar uma que supere São Paulo no maltrato de sua imagem.

Os pichadores e a publicidade ao ar livre estão transformando a paisagem paulistana num enorme, gigantesco, ateliê metropolitano da agressividade e do mercantilismo. Tudo sob o olhar complacente das autoridades municipais, que fingem não ter recursos para combater os delinqüentes, mas enchem os cofres da Prefeitura com as licenças, Cadans e afins sacados dos arautos do consumismo.

Nessa urbe objeto, a obra de Claudio Tozzi – que por si só já seria um agregado de vida para qualquer cidade – ganha um sentido maior, entre amoroso e abençoado. Em contraponto à brutalidade que mancha e esconde casas e monumentos, há quatro décadas ele vem acariciando a face da cidade com trabalhos que diuturnamente renovam nossa esperança na convivência urbana.

Os painéis que ele criou para os nossos espaços públicos têm uma característica especial, a dualidade. São obras de arte que quebram a rotina do paulistano; agradáveis surpresas coloridas, pigmentadas ou pontilhadas, moldadas sobre placas de zinco ou pastilhas de vidro, e espalhadas como sementes de persistência e criatividade. E além disso esses painéis de Claudio Tozzi também têm a propriedade de se fundirem com seus suportes – seja um prédio ou uma estação de trem –, como um abraço que une dois seres queridos.

O que seria daquela fachada cega do prédio da Praça da República se um dia lhe quitassem a zebra ? Perderia sua personalidade, o colete de individualidade que ganhou já em idade madura. Da mesma forma, é difícil imaginar o que seria pegar o metrô na Sé sem a cobertura protetora da colcha de retalhos por ele bordada em suas paredes de concreto. Ou idealizar como seria aquele prédio novo da avenida Angélica sem o manto do mosaico de tons azulados tecido em sua gestação.

A cidade é bela e assim quer se mostrar para todos. Só espera que o Tozzi que existe incubado em cada um de nós brote e siga o exemplo de seu filho artista.

JÚLIO MORENO

SEM TÍTULO, 1987. [113]

SENTIDOS EM EBULIÇÃO

A história das metrópoles mostra que há determinados homens que, mesmo sem a afinidade do risco ou da arte, têm ou tiveram o condão de mudar a face de uma cidade. Foi assim com o Marquês de Pombal, que reinventou Lisboa após a capital portuguesa ter sido devastada por um terremoto no século XVIII; foi assim com o Barão de Haussmann, que no final do século XIX deu a Paris a imagem de sonho que hoje todo o mundo tem da Cidade-Luz; e foi assim com o prefeito Pereira Passos, que nas primeiras décadas do século passado revitalizou o Rio de Janeiro, literalmente pondo morros abaixo e repaginando o perfil daquela cidade que muitos ainda acreditam Maravilhosa. Mas a história mostra, também e principalmente, que não é necessário ter o poder de uma caneta na mão para que seja possível se fazer uma incisão profunda na paisagem de uma cidade. E há várias maneiras de se compreender essa "profundidade".

Christopher Wren, o homem a quem foi destinada a missão de reconstruir a City londrina após o Grande Incêndio de 1666, era astrônomo por formação e arquiteto por vocação. Viu estrela onde havia cinzas e ergueu prédios como se fosse uma espécie de deus inventando planetas. E a nova Londres se fez. Claudio Tozzi, arquiteto por formação e artista por vocação, pode não ter o poder da pena de um Pombal ou de um Pereira Passos, nem a dimensão solar de Wren mas, de muitas formas, ele também reinventou São Paulo.

Vista do alto, aos olhos de pássaros, São Paulo é um monstro tentacular e cinzento que se espalha por todos os lados, seus limites se confundindo com os de outras cidades, uma voracidade única em crescer e ser vista. Megalomaníaca, São Paulo não permite relação outra que não a da perplexidade do viajante desnorteado e a do encapsulamento em concreto do morador conformado. É nesse momento de opressão, contudo, que a mão e os olhos de Claudio Tozzi se apresentam e se impõem, não pela força da ordem/desordem do conjunto, mas pela delicadeza do traço e a insistência da cor.

Onde há o cinza, que surjam as cores, os muitos tons que tiram da cidade seu ar vetusto e lhe recobrem de vida. A avenida Angélica que o diga, aquele prédio em tonalidades azuladas que gritam aos seus pares cinzentos que a vida é muito mais do que a complexidade e a prepotência do concreto armado. A vida é – e Tozzi faz questão de mostrar a cada intervenção sua na metrópole – as nuanças de tons, as várias faces multi-raciais que a cidade abriga, as cores do mundo travestidas em pessoas nas ruas, bandeiras desfraldadas em morumbis lotados. A paleta do artista é a loucura – mansa ou não – que se desprende do mundo das idéias e invade as ruas, estações de metrô, galerias, recobrindo retinas. A vida não é em preto-e-branco, e Claudio Tozzi sabe muito bem disso.

Por isso, sua insatisfação com a mesmice. Por isso, sua exigência pela forma, pela beleza que pode ser descoberta em detalhes mínimos ou no grande painel. São pastilhas que se unem e formam mosaicos, não apenas de arte, mas de vida. A obra de Claudio Tozzi é muito mais do que a retidão do traço, a primazia da técnica ou o estilo aprimorado ao longo de décadas de inconformismo e de ousadia. Sua obra tem sangue nas veias, tem pulso e pressão acima do limite considerado razoável. O que é muito bom. Pressão arterial baixa é recomendável para seres comuns, que se preocupam com questões comezinhas como colesterol alto e existência curta. A pressão do artista deve estar sempre em ebulição, a veia pronta a explodir em um rompante de criação, a excitação dominando os sentidos e se fazendo ver em cada pincelada, em cada traço, em cada idéia. O homem contido dá lugar ao artista mercurial. A vida, que refuga o *chiaroscuro*, assim o exige. E o artista, entre complacente com a determinação e consciente da proposta, aceita a missão.

Não deve ser fácil ser Claudio Tozzi, posto que não é fácil ser artista em um mundo que preza o pragmatismo do cotidiano e o imediatismo das decisões. Mas o artista insiste. E é justamente essa insistência bem-vinda que (re) modela a cidade, que se insinua às sombras e as afasta, para que haja luz. A luz das cores e das formas com as quais Claudio Tozzi teima em invadir a cidade, mostrando que a vida está muito além de algumas tonalidades de cinza.

MARCELLO ROLLEMBERG

SISTEMA VIÁRIO, 1989. [114]

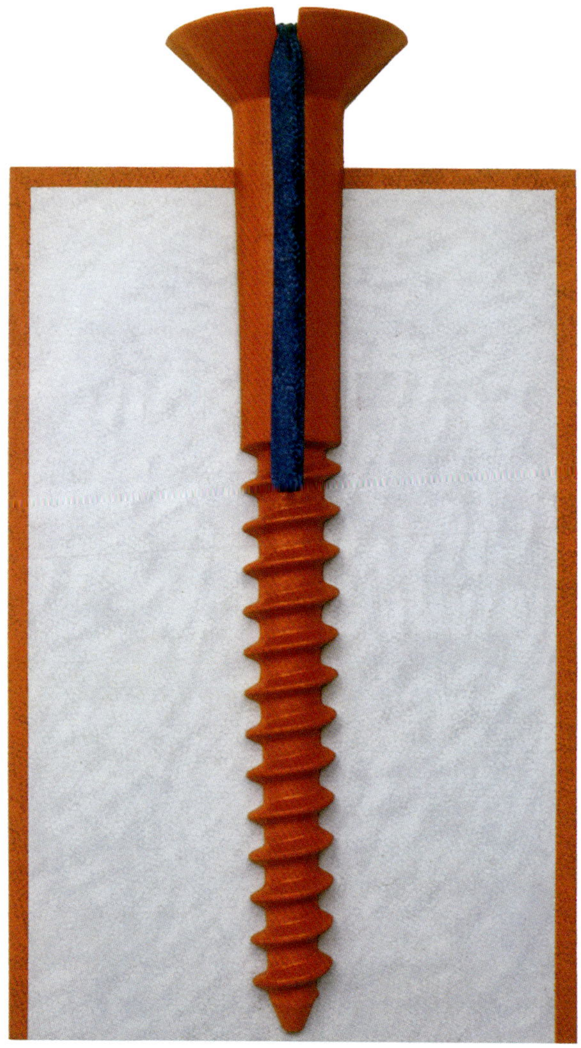

SIGNO, 2000. [115]

SEM TÍTULO, 1987. [116]

SEM TÍTULO, 1989. [117]

ENTRE AMIGOS

APESAR DO MÉDICI

Conheci Claudinho ainda estudante. Era o meu aluno na FAU e logo percebi que ele tinha um enorme talento. Eu o acompanhei criando o Che, as histórias em quadrinhos, o bandido da luz vermelha... Uma visão pessoal marcada por uma forte linguagem popular. Depois, na fase "Pigmento, luz e cor", sua obra passou a ter uma outra ressonância. Acompanhei esta mudança e fiquei feliz porque ele não caiu nas facilidades das novas tendências. Eu discutia muito sobre os caminhos da arte contemporânea com o pessoal da década de 1960. Fico orgulhoso quando lembro de ter participado deste tempo que foi, sem dúvida, o mais fértil da arte brasileira. Nunca tentei influenciar o trabalho dos alunos. Com o Claudinho também foi assim. Conversávamos muito e eu sempre fui muito exigente com os meus alunos na questão ética.

Depois, graças ao Médici, fui preso e deportado. Reconstituí minha vida na França, onde moro e continuo trabalhando e pintando há 30 anos. Nesse período, não tive o prazer de acompanhar o trabalho deste meu grande amigo crescendo e repercutindo pela cidade. Fico sabendo da sua obra pelos jornais, pelos amigos. Mas fecho os olhos e consigo vislumbrar a sua pintura se aplicando no contexto urbano, repercutindo na amplitude da arte e da arquitetura. Aí fico muito feliz. Com saudade.

SERGIO FERRO

Filmes super-8 realizados com Flávio Império, Victor Knoll e Julio Abe Wakahara. [118]

MULTIDÃO, 1968. [119]

MAIO 68/MAIO 98 GEOMETRIA DO TEMPO, 1998. [120]

ELES QUEBRARAM A CARA

1968. A rua Maria Antonia estava literalmente em fogo. O Comando de Caça aos Comunistas (CCC) ameaçava todos os estudantes que sonhavam com o fim da ditadura. Nenhum de nós, até então, tinha votado para presidente. Só o faríamos pela primeira vez em 1989, com mais de 40 anos nas costas.

A repressão não era só política. Os militares queriam nos impedir de pensar, de ter opinião própria e, principalmente, de criar.

Quebraram a cara.

Claudio provou ser possível resistir ao obscurantismo. Che Guevara, no melhor estilo *pop*, tomou conta das ruas, das universidades, das publicações clandestinas. A sensibilidade do artista encontrou meios e formas para eternizar o símbolo de nossa geração.

Gravuras com cérebros e parafusos do final dos anos de 1970 denunciam a longa noite escura dos anos de chumbo. Decretada a anistia, Tozzi, Capitão para os mais chegados, contribuiu com aquelas peças para viabilizar as festas aos perseguidos políticos que à pátria retornavam. O leilão das mesmas, por exemplo, garantiu a festa para receber Zé Dirceu que chegava de Cuba. Apesar do general de plantão, era um novo dia.

A militância artística, porém, sempre falou mais alto. O conjunto de sua produção em quatro décadas parece remoçar cada vez mais a figura sempre jovem e atualizada do artista. E os séculos, com certeza, registrarão sua perenidade.

PAULO DE TARSO VENCESLAU

EXPANSÃO, 1991. [121]

NAU SEM RUMO, 1993. [122]

A ARTE DA AMIZADE

Começamos a nossa trajetória pelas artes na mesma época. E o mais curioso: o trabalho que desenvolvíamos tinha uma série de coincidências. Partiam das mesmas preocupações, das mesmas idéias e ideais. Eu vivia no Rio de Janeiro e Claudio sempre morou em São Paulo. Mas quando nos encontrávamos, achávamos engraçada a sintonia que existia entre as nossas obras. Nós dois retratamos as multidões, as moradias coletivas, as preocupações sociais. Ele criou suas histórias em quadrinhos, eu também. Ele é corintiano, eu sou botafoguense e o futebol estava presente tanto nos seus painéis como nos meus.

Estas coincidências revelam que somos produtos de uma geração atenta, precocemente amadurecida. Depois, cada um seguiu um caminho próprio nas artes, mas a estrada é a mesma. Continuamos juntos, conversando e tendo muito para lembrar, sonhar. Sou um arquiteto frustrado, uma frustração compensada pela amizade de arquitetos como o Tozzi, a Lina Bo Bardi, o Mario Zanini. O meu ateliê na encosta da Pedra da Gávea foi construído há 29 anos e nasceu de um rabisco do Zanini na mesa de um bar. Ele me dizia: um artista feito você tem de ter um ateliê diferente. Aprendi muito com estes arquitetos. Uma troca interessante. Colaborei com a Lina na criação do Sesc Pompéia, fazendo uns painéis. Tozzi também me orienta com a sua visão de arquiteto. Fizemos, juntos, um álbum sobre São Paulo, além de várias coletivas. No Rio ou em qualquer lugar do mundo, ele está sempre presente, ao vivo ou ao telefone. Vale muito esta arte da amizade.

RUBENS GERCHMAN

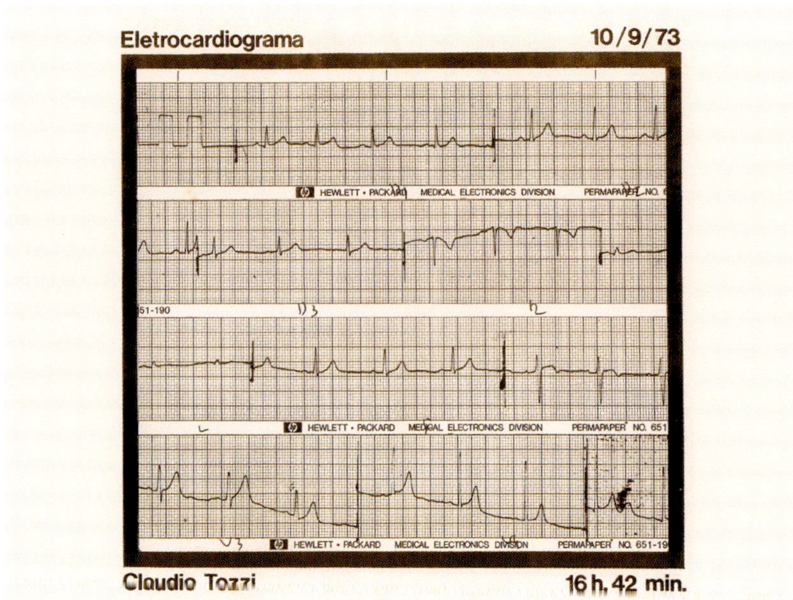

Eletrocardiograma, 1973. [123]

SIGNO/EMBLEMA, 2000. [124]

ARQUITETURA IMAGINÁRIA, 2002. [125]

COROAS DA PESADA

Eu não me preocupo com o tempo. E acho que o tempo não se preocupa muito comigo. Percebi isto quando fui com o Claudio, o Gerchman e o Granato fazer uma exposição na Galeria de Brasília. Chegamos ao aeroporto e tivemos a idéia de comprar o jornal para saber se a mostra havia sido divulgada. Tivemos uma surpresa. O título era assim: "Os Coroas da Pesada". Ficamos pasmos. Olhamos uns para os outros para conferir. Éramos mesmo os tais coroas.

Nós da década de 1960 temos esta vantagem. Estamos ficando coroas, porém estamos juntos. Não precisamos de grandes motivos para nos encontrarmos ou viajarmos. Falamos sobre tudo, menos de arte.

CARLOS VERGARA

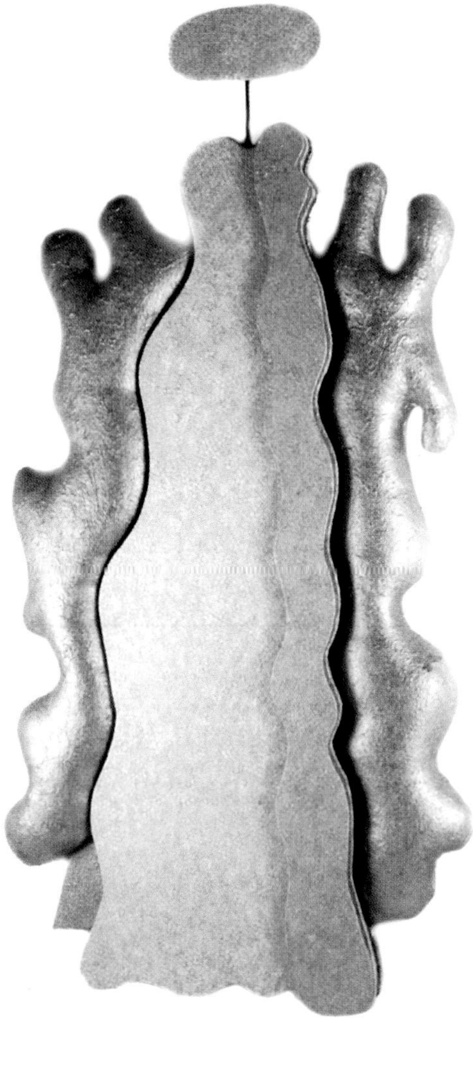

FREIRAS AO VENTO, 1993. [126]

TERRITÓRIOS, 2003. [127]

MULHER DEITADA, 1987. [128]

ARTISTA DE RUA

A alegria maior de um artista é ver a sua obra na rua, no meio das pessoas. Parece que o trabalho ganha uma dimensão diferente. Fica muito mais vivo. Toda vez que faço uma obra pública, estudo muito o material que vou utilizar e, especialmente, o lugar onde será instalada. Na criação de uma escultura ou um painel, procuro aplicar o conceito do *ikebana*. De qualquer ângulo que as pessoas virem, terão uma visão harmônica. O trabalho está sempre de frente. Jamais dá as costas para a cidade. Ele se integra na paisagem.

A obra de Claudio Tozzi também tem esta preocupação de conversar com a cidade. A arte pública depende desta comunicação. Gosto de observar a reação das pessoas. Ouvir opiniões e especialmente as críticas.

Tozzi também ouve a cidade. E trabalha muito por ela. Está nas praças, nas estações do metrô, no alto dos prédios.

TOMIE OHTAKE

U + ∩ 1989. [129]

MÚLTIPLO, 1973. [130]

MERGULHO, 1995. [131]

GERAÇÃO DE MOÇOS

Até a década de 1960, os artistas plásticos não tinham um ponto de encontro. Eram só o Masp, na rua 7 de Abril e uma ou outra galeria. O pessoal se via em um bar, mas era a turma do porre. Não havia um núcleo aglutinador, onde as pessoas podiam discutir arte com seriedade. O primeiro acabou sendo, anos depois, o meu ateliê. Um velho sobrado alugado, após o meu retorno da Europa, na rua Augusta, entre a Itu e a alameda Franca. Naquela época, São Paulo vivia momentos marcantes. Havia muita coisa acontecendo e a rua Augusta era a nossa via Margutta, em Roma. Lá vinha muita gente, inclusive o Bardi, que acabou me levando para a Bienal de Tóquio, onde recebi o primeiro prêmio de Bienal na história da arte brasileira.

O meu estúdio, montado de forma diferenciada para a época, foi recebendo novos artistas como Fajardo, Nasser, Rezende, Baravelli – uma geração de moços que vinha para estudar desenho ou simplesmente para mostrar seus trabalhos e conversar. Um dia, apareceu por lá o Tozzi – sério, quieto, empenhado. Achei muito bom o que fazia e ainda hoje em meu ateliê evidencio uma obra que, na época, recebi dele. Quem tem talento não precisa de muita coisa. Eu faço um trabalho de afirmação. Digo: confie em seu tato e tenha paciência. O Claudio nem precisou ter paciência.

Wesley Duke Lee

O PINTOR E A FLAUTA MÁGICA, 1993. [132]

NOVOS HORIZONTES

As artes plásticas interessavam menos à censura militar. Tinha um público mais restrito do que o teatro e a música popular. Mesmo assim, vivíamos o clima pesado do momento. A Bienal da Bahia, por exemplo, andou censurando alguns trabalhos, inclusive os meus. Nos anos de 1965 e 1966, pintei as gravuras dos generais e, a partir de 1967, comecei a série *Bananas*. Estávamos envolvido no clima do Tropicalismo e o sarcasmo era uma resposta à maneira humilhante como éramos tratados. Pintei as *Bananas* até 1975. O último quadro, *A Morte no Sábado* – uma banana trespassada por um garfo –, foi um tributo a Vladimir Herzog. Obra que doei ao Sindicato dos Jornalistas do Estado de São Paulo, no primeiro aniversário da morte de Herzog.

Claudio Tozzi também viveu intensamente este período, pintando o Che, as multidões, os astronautas. Participamos juntos de exposições e de discussões como a Feira Paulista de Opinião e dos acontecimentos dos anos de 1960.

Acompanhamos a trajetória da arte que, a partir de então, mudou muito o horizonte. Hoje há novas galerias, novos debates, novas exigências. E, através das décadas, Claudio evidencia-se como um artista amadurecido no caminho próprio, nas diretrizes inatas – um ponto de referência e uma amizade constante.

ANTONIO HENRIQUE AMARAL

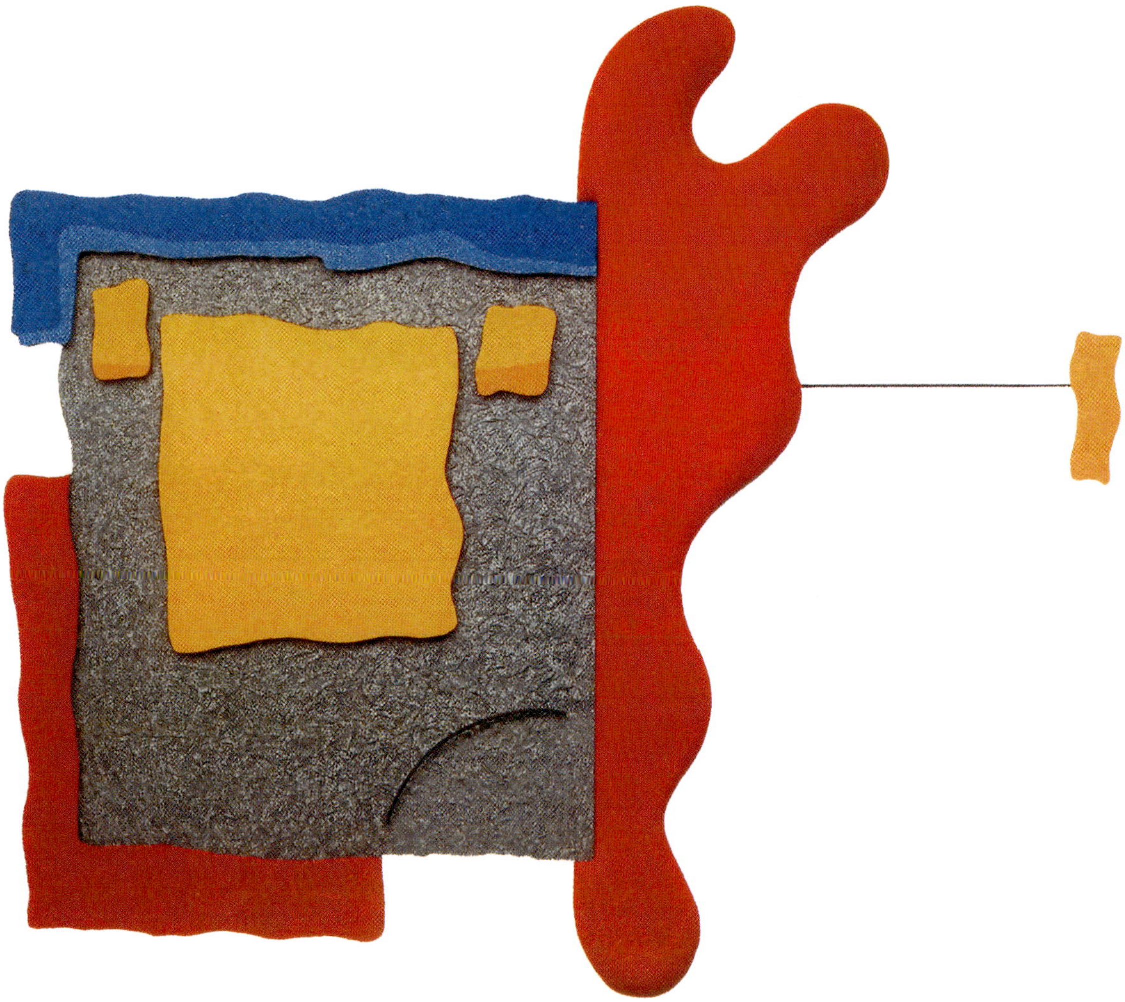

O QUARTO, 1991. [133]

TUDO É ARTE

Nosso tempo é de crise. Mas todos os tempos são de crise, então deve estar tudo normal. "Tempo" aqui quer dizer o tempo do Tozzi, que é o mesmo que o meu. Entramos juntos em 1964 na FAU-USP, na época o lugar possível para quem tivesse alguma intenção artística. O que Claudio e eu vimos? Qual a nossa percepção do nosso tempo e de sua crise artística? O grande drama foi perceber que tudo podia ser arte.

Há um lapso entre uma formulação teórica e a disseminação social de uma idéia. Assim, para dar um exemplo, a invenção dos computadores eletrônicos é pós-Segunda Guerra Mundial, mas eles só se tornaram fatos realmente comuns décadas depois, talvez no fim dos anos de 1980. Do mesmo modo, o que Duchamp formulou na década de 1910 só emergiu na consciência geral na década de 1960. Antes seria artista quem conseguisse fazer obras de arte; segundo a fórmula inversa duchampiana, alguém se autonomeia um artista e a arte passa a ser o que quer que esta pessoa faça.

Essa foi a crise que enfrentamos. Quando uma coisa vale e seu contrário também, o sentido social dessa atividade se esfarela. Em vez de uma ação definida de fora para dentro, nosso dilema foi fazer algo pessoal mas que ainda, de algum modo, pudesse ser percebido coletivamente como arte. Na frase de Lélia Coelho Frota, o que tentamos e fizemos foi uma "meta-aproximação dos meios tradicionais". Nossa resposta à crise foi (tem sido) um esforço não para separar, mas para unir.

Luiz Paulo Baravelli

TRAMA URBANA, 1984/1985. [134]

TRÊS VIDAS

Acho que um artista deveria ter uma vida só para pesquisar, refletir. Outra só para criar. E a terceira para expor o seu pensamento e a sua arte.

Quando penso nas coisas que eu ainda gostaria de fazer, fico apavorado. Tenho a impressão de que já estou partindo, justo agora que estou começando a aprender.

Aí olho para trás. Volto no tempo e fico pensando nos amigos. O Claudio está entre eles e me dá alegria imaginar que está aí fazendo uma porção de coisas. E que, de certa forma, a arte é um caminho único, que há alguém partilhando dos mesmos sonhos, das mesmas emoções.

Lembro de Claudio ainda menino. Em 1975, nós dois fomos homenageados pela Associação Brasileira de Críticos de Arte. Eu ganhei o Prêmio Pesquisa e ele o Prêmio Estímulo. Nossas fotos saíram nos jornais, uma ao lado da outra. Naquela época, eu tinha a certeza de que ele seria o que é. Amigo. Sensível. Um artista de muitas vidas...

Arcângelo Ianelli

PASSAGENS, 1984. [135]

PASSAGENS, 1984. [136]

SEM TÍTULO, 1987. [137]

LUZ DE GENTE E DE CORES

Toda vez que participo de um projeto, sempre indico o Claudio e ele também faz o mesmo. Qualquer coisa é um motivo a mais para estarmos juntos, mesmo que seja um jantar ou um cafezinho no bar da esquina. Na verdade, tudo o que a gente quer é compartilhar as idéias, o tempo, a arte, a vida. Eu o considero um dos maiores artistas brasileiros e sinto muito orgulho de ter conhecido este artista ainda moleque, brincando pelas ruas das Perdizes. E sempre foi assim. Muito quieto, sensível, sério, de paz. Acho que a vida é do jeito que é. Não tem outra maneira de ser e não adianta ficar brigando com ela. Claudio pensa do mesmo jeito. Tem um bem-querer pelos amigos, pelas coisas que faz. Um carinho que aparece na sua arte.

Como ele, eu, mesmo tendo nascido no Ceará, saio de São Paulo só se for para dar um passeio e voltar correndo. Gosto muito de trabalhar e aqui é o meu lugar. O meu ateliê, na rua Paracuê, foi projetado por Carlos Lemos em 1975. O tempo aqui passa tão depressa que nem sinto. Começo a pintar logo cedinho. Trabalho ouvindo música, desde Mozart, Billie Holiday até Naná Vasconcelos e Zeca Pagodinho. Todos os dias, os artistas da vizinhança aparecem aqui para uma conversa. O Granato, o Aguilar, o Gilberto Salvador, o Rubens Matuck, o Claudio, o Mesquita. Fico feliz quando junto e encontro as pessoas. Um movimento que me leva a pintar e a viver com muito prazer.

ALDEMIR MARTINS

SEM TÍTULO, 1987. [138]

O FOTÓGRAFO E O PINTOR

Estou sempre correndo entre uma foto e outra e o Claudio entre uma pintura e outra. Mas quando nos encontramos, é como se tivéssemos sido moleques anteontem. Morávamos nas Perdizes. Ele na rua Ministro de Godoy e eu na Wanderley. Fomos companheiros de rua e de classe. Estudamos juntos no Colégio de Aplicação da USP. Como ele é Claudio e eu, Cristiano, estávamos próximos até na lista de chamada. Gostávamos e odiávamos as mesmas matérias. Sempre colando um do outro, acabamos decidindo juntos estudar arquitetura pela influência de seu irmão Décio Tozzi. Era muito bonito vê-lo na prancheta concentrado entre os projetos.

Também decidimos juntos, antes de terminar a FAU, que não queríamos ser arquitetos. Lembro da minha angústia quando fui falar com o professor Artigas que era o orientador dos trabalhos de conclusão de curso. Disse a ele que não queria desenvolver um projeto e iria apresentar uma documentação fotográfica sobre a cidade. Artigas, na sua sabedoria, me incentivou, acabou me dando dez e eu passei de ano com a certeza de querer ser fotógrafo. Claudio também tinha plena convicção de que seria um gráfico, um pintor, um artista.

Hoje, quando saio pela cidade para fotografar e me deparo com a Zebra na Praça da República, os painéis do metrô, entre outras obras públicas, fico muito feliz. Aí me vêm algumas imagens que fotografei com o coração. Lembro do Claudinho e de outros amigos saindo de madrugada para escrever "Abaixo a ditadura" nos muros. Penso que ele conseguiu mesmo deixar a sua rubrica e espalhar as cores de seu pensamento e idealismo.

Cristiano Mascaro

DANÇANDO NA LUA, 1999. [139]

OBJETO URBANO, 1966. [140]

Hélio Oiticica e a bandeira *GUEVARA*, 1968. [141]

ORGÂNICA, 2000. [142]

LEMBRANÇAS DE REBELDIA

Tínhamos 20 anos, um grande sonho e a certeza de que poderíamos contribuir para um mundo mais justo. Íamos a assembléias e passeatas, naquela liderada por José Dirceu, que subia em um caixote e discursava, à imagem de um Che Guevara paulista, aos jovens. O entusiasmo era grande. Gritávamos palavras de ordem. Ao virar uma esquina, de repente, a polícia aparecia para acabar com a manifestação. Cassetetes, cavalaria, enfim, um clima de grande apreensão.

Esse momento teve grande repercussão em Claudio Tozzi como ser humano e artista. Ele vivia intensamente essa interação com a população, com a cidade. Apesar do clima efervescente, vivia obcecado pela arte. Desde seu período *pop*, que incluiu ícones da década de 1960, passando por suas pesquisas de forma e cor para, então, enfocar a cidade em um vocabulário cada vez mais econômico, chegando aos limites máximos entre o figurativo e o abstrato.

Sua arte ficou conhecida muito rapidamente e ele foi convidado a expor na Bienal Internacional de Artes Plásticas. Tozzi e Hélio Oiticica conversavam muito sobre seus trabalhos. Os interesses eram os mesmos, focar as lentes na desigualdade social, nos oprimidos. Agora, porém, em manifestações artísticas mais elaboradas. Ambos continuaram muito amigos até Oiticica ir para Londres e mais tarde para Nova York, ficando fora do Brasil por longos anos. Por seu lado, Tozzi não pôde participar da "Nova Objetividade" por não estar no país naquele momento.

Hoje não fazemos mais política, bebemos moderadamente, nos tornamos menos boêmios. Mas continuamos a viver intensamente. Apesar de todas as mudanças, seu interesse vital e sua energia, como sempre, estão voltados para o trabalho. As conversas também continuam. Compartilhamos as lembranças e as saudades dos amigos que se foram. Entre eles, Hélio, Maurício Nogueira Lima e Ubirajara Ribeiro.

Yara Nagelschmidt

DANÇA, 1992. [143]

COMUNIDADE E CONSCIÊNCIA

"As capelas são transformadas pela luta entre as trevas e a luz. (...) No entanto, a sombra temível concede em se deixar ver, apreciar e modelar. (...) Eu sentia que violava os direitos do silêncio, que uma mão sacrílega me abria o coração desse silêncio sagrado. Mas o artista sabe compreender e não é, aqui, um profano."

São anotações de Auguste Rodin em uma de suas visitas noturnas à Catedral de Reims. Violar os direitos do silêncio das obras de arte nos é permitido? O que temos a acrescentar ao que uma obra em sua essência já não tenha produzido?

E, no entanto, Robert Sabatier, a propósito da figura do leitor, coloca na boca de um de seus personagens: "J'avais appris que le vrai lecteur, celui qui *sait lire*, apporte sa part créative". Se assim é na literatura, por extensão, o mesmo poderemos dizer das demais artes. Ou como dizia o carteiro ao poeta: "a poesia não pertence a quem a escreve mas a quem precisa dela".

Assim, a arte exige aproximação respeitosa. Cuidados para não se violar seu direito ao silêncio e descobrir onde reside nossa parte na criatividade, nessa manifestação que "pertence a quem precisa dela".

Claudio Tozzi é uma personalidade em sintonia com seu universo. Sua arte flui espontânea, original, elaborada sem modismos. Sua postura é atenta, participante e reservada a um só tempo. Como iremos violar seu direito ao silêncio, depois de tudo que diz com sua arte?

Tozzi desponta no clima da Faculdade de Arquitetura e Urbanismo da USP e ali deixa sua marca. E, nessa perspectiva, é entendido pela comunidade que, por sua vez, tem consciência de seu envolvimento com a criatividade.

Benedito Lima de Toledo

SEM TÍTULO, 1987. [144]

SEM TÍTULO, 1987. [145]

BESTEIRAS COM ARTE

Fizemos muitas besteiras sim. Mas besteiras que renderam muita arte. Os artistas faziam de seu ateliê um ponto de encontro. Conversávamos. Saíamos pela cidade. Namorávamos. Tomávamos porre. O ateliê do Wesley Duke Lee – onde freqüentavam poetas como o Roberto Piva, além de Fajardo, Baravelli e Claudio – era um ponto de encontro movimentado. Ficava em cima de uma loja de discos famosa, a Hi-Fi, na rua Augusta.

Na casa de Mario Schenberg, na rua Marquês de São Vicente, reuniam-se os estudantes de arquitetura e filosofia da USP. O meu ateliê ficava na rua Frei Caneca, 348. Por lá aparecia muita gente. O Jô Soares também ia para pintar. Tinha ainda a movimentação dos cantores e compositores como o Gilberto Gil, que morava na avenida São Luís, o Caetano, a Gal. Uma turma que se misturava com os pintores só pelo prazer e alegria de estar junto. O pessoal do Rio, como o Rubens Gerchman, Antonio Dias e os irmãos Adriano e Angelo de Aquino, também estava sempre com a gente.

O Claudio e o Baravelli montaram um ateliê juntos na rua Minas Gerais. Anos depois, ele teve outro ateliê, mas com o Maurício Nogueira Lima na próxima quadra desta mesma rua. O meu irmão, Nelson, cinco anos mais novo, fazia filosofia e estava sempre junto com o Claudio. Outra pessoa incrível é a Yara Nagelschmidt, também estudante de filosofia. Ela ajudava os artistas e promovia encontros na sua casa. Foi mesmo um tempo vibrante, como nenhum outro. Foi também um período de formação da arte contemporânea. Hoje, o nosso trabalho tem muito daquela efervescência. É claro que tudo muda. Ainda bem. A gente se metamorfoseia. Mas o que é bom é atemporal. O trabalho de Claudio traz muito da política cultural e social que idealizávamos na década de 1960. Como eu, ele também foi diretor da Casa das Rosas. Continua preocupado com as questões urbanas e, especialmente, com a comunicação visual da cidade de São Paulo. Acho que a arte de Claudio e São Paulo têm um casamento perfeito.

José Roberto Aguilar

SEM TÍTULO, 1987/1988. [146]

SEM TÍTULO, 1988. [147]

CHUVA, 1986. [148]

PASSAGENS, 1984. [149]

CAMINHANDO...

POR UMA CIDADE VIVA. E MAIS POÉTICA

Uma característica atual do processo de pensar desenho urbano é a substituição do conceito de "fazer plano" localizado *site specific* – de consertar o existente, com suas deficiências e desgastes determinados pelas transformações e mudanças de uso –, pelo conceito de propor um desenho autônomo de "determinação" e gestão da cidade que estabeleça direções para seu uso e crescimento. Esta prática de projeto estimula um crescer ordenado e estabelece novas relações com a natureza e com o social. Abrange um conceito de cidade como espaço total. Cria uma cidade nova e não somente recupera espaços já construídos. É o conflito do existente visível com o "vir-a-ser" planejado que incorpora um certo grau de incerteza, de embates e diversidade que a transformam num "ser vivo", em constante mutação, próprio dos processos de criação e inovação.

É pois um organismo vivo, e cada sulco, cada via que se constrói, implica a abertura de um novo espaço. Relações de cheios e vazios, que determinam sua fluidez e beleza. São intersecções que orientam os fluxos simbólicos no espaço da metrópole; resgatar para a cidade a leveza, a luz, a cor, os limites, as formas... Organizar seus espaços, montar sua poética, projetar sistemas de informação e equipamentos urbanos, integrar as artes plásticas a este novo sistema; questões amplas, para o contexto do ato de intervir na cidade.

A questão específica do *designer* e programador visual é propor sistemas de objetos e signos de informações, criar uma semiótica urbana que se integre na conceituação ampla da cidade e não somente resolva questões que atuam num território restrito.

É necessário que o *designer*, o arquiteto e o artista plástico se integrem num processo de trabalho interdisciplinar. E sua formação deve ser ampla de informações tecnológicas e conhecimento de valores humanos, abrangendo questões que extrapolem o simples ato de criar ou de projetar um objeto isolado. A cidade passa a ser um sistema único, seu desenho integrado, que resulta num ambiente mais propício ao desenvolvimento do homem em suas relações sociais e com a natureza.

O *designer* deve atuar na organização da comunicação visual e da semiótica urbana da paisagem. Sua área de atuação deve intervir na redução dos índices de poluição visual, permitindo uma leitura da identidade da cidade e criando sistemas coordenados de mobiliário urbano e demais equipamentos de uso da comunidade. As artes plásticas integram-se nesta nova metodologia de ver e pensar a cidade. A arte foge de seu hábitat institucional, museus e galerias, e invade as ruas, praças, edifícios; a cidade é parte da paisagem, do ambiente urbano, da vida das pessoas. O projeto interdisciplinar de integrar e propor a síntese das artes é parte da complexa metodologia de conceber a cidade. Assim o artista plástico participa deste projeto interagindo com o arquiteto, o planejador e o *designer* propondo releituras e intervenções que venham a contribuir para o aprimoramento e beleza do ambiente urbano. São inúmeras as experiências de caráter ambiental, com intervenções sobre a complexidade do espaço, realizadas por artistas, tendo como proposta redesenhar os espaços em sua entidade física e metafórica no âmbito das linguagens artísticas contemporâneas.

Esta unidade de ação de pensamento, da arquitetura e da pintura, pode determinar uma arte única e resolver as questões entre uma e outra. No início dos anos de 1920 Mondrian propõe uma obra total em que arquitetura, pintura e escultura não se constituem em elementos isolados e sobrepostos mas se concretizam em uma expressão unitária. A partir de então as artes plásticas percorrem um caminho de superação da superfície que as contém. Transgridem. Sua existência transcende a representação e acontece no meio circulante (arquitetura, ambiente) tornando-se "massas de cor", "pinturas objetos", *land art*, *performances*, "instalações", linguagens que se integram e se fundem com a arquitetura, com a cidade, com a paisagem urbana e com a natureza.

CLAUDIO TOZZI

TERRITÓRIO, 2003. [150]

CRONOLOGIA

1944 Claudio Tozzi nasceu em São Paulo, onde vive, em outubro.

1963 Início de sua carreira. ▪ Participa do XI Salão de Arte Moderna, vencendo o concurso de cartazes dessa exposição.

1966 Aparece em diversas mostras coletivas. ▪ Participa de exposição e debate de Arquitetura e Urbanismo na Universidade de São Paulo. ▪ Monta o ateliê da rua Minas Gerais.

1967 Faz a série de pinturas *Bandido da Luz Vermelha*, trabalhos com a mesma linguagem da história em quadrinhos, iluminados por facho de luz vermelha rotativo. ▪ Participa da IX Bienal de São Paulo. ▪ Expõe no IV Salão Nacional de Arte Contemporânea (Brasília), onde seu painel *Guevara Vivo ou Morto* é parcialmente destruído.

1968 Manifestação coletiva "Bandeiras e Estandartes" na Praça General Osório, Rio de Janeiro. ▪ Participa da mostra "O Artista Brasileiro e a Iconografia de Massa", na Escola Superior de Desenho Industrial, e do Salão Esso de Artistas Jovens, no Museu de Arte Moderna do Rio de Janeiro. ▪ Em Belém, apresenta a série *Bandido da Luz Vermelha* na Primeira Cultural de Belém, com exposição e debate em praça pública. ▪ Representa o Brasil no Prêmio Latino Americano Codex, em Buenos Aires.

1969 Participa da X Bienal de São Paulo, onde expõe os painéis *Multidões*, de grandes formatos, que documentavam cenas e manifestações políticas da época, pintados em 1968. ▪ Em Salvador, expõe na II Bienal Nacional de Artes Plásticas. ▪ Realiza viagem de estudos à Europa, integrando a equipe do Tusp no Festival de Nancy. ▪ Inicia as séries *Astronautas* e *Módulos Lunares*, executadas com tintas industriais.

1970 Recebe o prêmio de aquisição na mostra Jovem Arte Contemporânea do Museu de Arte Contemporânea, em São Paulo e participa do Salão Paulista de Arte Contemporânea.

1971 Individual na Galeria Ars Mobile, em São Paulo. ▪ É convidado para a Bienal Internacional del Deporte, em Barcelona, e para o Panorama Atual da Arte Brasileira no Museu de Arte Moderna de São Paulo. ▪ Inicia a série de pinturas e objetos *Parafusos*.

1972 Faz o painel *Zebra* na lateral de um prédio na Praça da República, em São Paulo. ▪ Participa da mostra "Arte Brasil Hoje – 50 Anos Depois" na Galeria Collectio. ▪ Integra a Exposição Internacional de Gravura Nugrasp no Museu de Arte Moderna de São Paulo.

1973 Inicia a série de obras com matérias naturais aglomeradas em caixa de acrílico, que mostra na Galeria Ralph Camargo, em São Paulo. ▪ Realiza múltiplos executados em película super-8 e participa da "Expoprojeção 73". ▪ Edita o álbum de serigrafias *São Paulo Post-Scriptum* com Rubens Gerchman. ▪ Participa de coletiva na Fundação Cultural do Distrito Federal. ▪ Recebe prêmio da Associação Paulista de Críticos de Arte.

1974 Integra a mostra "Prospectiva 74" no museu de Arte Contemporânea da USP. ▪ Participa da exposição "Vanguarda Brasileña" no CAYC, em Buenos Aires, e da mostra "Arte de Sistemas en America Latina", no Institute of Contemporary Art, em Londres.

1975 Realiza exposição individual intitulada "Cor/Pigmento/Luz" na Galeria Bonfiglioli, São Paulo. ▪ Participa do Festival Due Mondi, em Spoleto, Itália. ▪ Recebe o Prêmio Guarantã de viagem ao exterior da Associação Brasileira de Críticos de Arte.

1976 Integra a representação brasileira na Bienal de Veneza com mostra no Pavilhão Brasileiro. ▪ Participa da Bienal Americana de Cali, na Colômbia, e da exposição "Arte Agora" no Museu de Arte Moderna de São Paulo.

1977 Participa da exposição "Latin America 76" na Fundación Juan Miró, Barcelona. ▪ Recebe convite para participar da mostra "Arte Actual de Iberoamerica" no Instituto de Cultura Hispânica, em Madri. ▪ Realiza exposição no Escritório de Arte Magalhães Gouveia, em São Paulo, e na Galeria Artespaço, em Recife. ▪ Transfere seu ateliê para a rua Franco da Rocha, em Perdizes.

1978 Realiza exposição individual na Escola de Artes Visuais do Parque Lage, Rio de Janeiro, onde monta mesa de impressão e mostra o processo ao público. ▪ Integra a mostra "15 Artistas Jovens" no Museu de Arte Moderna de Buenos Aires. ▪ Participa da mostra "Objeto na Arte – Brasil Anos 60", no Museu de Arte Brasileira, em São Paulo.

1979 Executa painel na estação Sé do metrô paulistano. ▪ Realiza exposição individual no Núcleo de Arte Contemporânea, em João Pessoa. ▪ Participa da mostra "Matrizes, Filiais e Cia." no Sesc Vilanova, em São Paulo. ▪ Integra a representação brasileira na Trienal Latino-Americana del Grabado, em Buenos Aires. ▪ Recebe prêmio de viagem ao exterior do Salão Nacional de Arte Moderna, no Rio de Janeiro.

1980 Escolhido para integrar a mostra "Dez Pintores Anos 70 – Destaque Hilton", que circulou por várias capitais. ▪ Realiza exposições individuais nas galerias Saramenha (Rio de Janeiro), Oscar Seraphico (Brasília) e Bonfiglioli (São Paulo). ▪ Executa painel para o Sesc Vilanova, em São Paulo. ▪ É convidado para integrar a representação brasileira na Bienal de Paris.

1981 Individuais nas galerias Bonito (Rio de Janeiro), Casa Grande (Goiânia) e Momento (Curitiba). ▪ Realização do filme *Claudio Tozzi* em 35 mm, de Fernando Coni Campos, com roteiro de Fábio Magalhães, projetado em várias capitais. ▪ Integra a exposição "Do Moderno ao Contemporâneo", Coleção Gilberto Chateaubriand, no Museu de Arte Moderna do Rio de Janeiro. ▪ Recebe o prêmio Pirandello de Artes Plásticas. ▪ Integra a representação brasileira na Bienal de Medellín, na Colômbia.

1982 Individual na Galeria Paulo Figueiredo, onde apresenta as pinturas e objetos denominados *Colcha de Retalhos*. ▪ É convidado para o Festival de Inverno, expondo pinturas no Auditório Campos do Jordão. ▪ Integra a mostra "Esporte e Sociedade Brasileira", no Museu de Arte Moderna do Rio de Janeiro. ▪ Participa da mostra de pintura brasileira no Kouros Gallery, em Nova York.

1983 Exposição individual na Galeria São Paulo. ▪ Participa do evento "Arte na Rua", executando *outdoor* na avenida Sumaré, organizado pelo Museu de Arte Contemporânea de São Paulo.

1984 Realiza exposição individual na Galeria São Paulo, onde apresenta a série *Passagens*. ▪ É convidado para fazer o símbolo do Carnaval de São Paulo. ▪ Participa de exposição coletiva internacional no Gelsenkirchen Museum, na Alemanha. ▪ Integra as mostras "Retrato e Auto-Retrato da Arte Brasileira – Coleção Gilberto Chateubriand", no Museu de Arte Moderna de São Paulo; "Viva a Pintura", na Petite Galerie e "Paredes Casa Vogue", no Museu de Arte de São Paulo. ▪ Olívio Tavares de Araújo realiza o documentário *Claudio Tozzi*, em vídeo, sobre sua obra. ▪ Integra a mostra "Tradição e Ruptura", na Bienal de São Paulo.

1985 Individual na Galeria GB do Rio de Janeiro e no Centro Cultural de São Bernardo do Campo. ▪ Integra a mostra "Caligrafias e Escrituras" na Funarte, no Rio de Janeiro, e a mostra "Releituras", na Pinacoteca do Estado e na Bienal de São Paulo.

1986 Realiza exposição individual na Galeria Montesanti (São Paulo e Rio de Janeiro), Galeria Gesto Gráfico (Belo Horizonte), Galeria Inês Fiuza (Fortaleza), Galeria Contemporânea (Campo Grande) e na Art Studio em Nova York. ▪ Integra a representação brasileira na Bienal de Havana.

1987 Participa do evento "Gesto Alucinado" no Rio Design Center, Rio de Janeiro, e no Museu da Imagem e do Som, em São Paulo. ▪ Realiza individual de pinturas no Museu Histórico e Cultural de Jundiaí.

1988 Realiza exposições individuais na Galeria Montesanti (São Paulo e Rio de Janeiro), Galeria Monica Filgueiras de Almeida (São Paulo), no Escritório de Arte da Bahia e Prova do Artista (Salvador). ▪ Participa da exposição "Figura e Objeto – 63 a 66" na Galeria Milan, em São Paulo. ▪ Integra a mostra "Os Ritmos e as Formas – Arte Brasileira" no Sesc Pompéia, São Paulo.

1989 Participa do concurso para execução de painel no Palácio dos Bandeirantes e do evento "Arte em Jornal" publicado no *Jornal da Tarde*, em São Paulo. ▪ Integra a mostra de arte brasileira "Modern Brasilianski Biledkunst", na Dinamarca. ▪ É convidado para executar painel na estação Barra Funda do metrô paulistano. ▪ São publicados dois livros retrospectivos de sua obra: *Obra em Construção – 25 Anos de Trabalho de Claudio Tozzi*, de Fábio Magalhães, diretor do Museu de Arte de São Paulo (Masp), e *Claudio Tozzi – O Universo Construído da Imagem*, de Jacob Klintowitz.

1990 É convidado para a exposição "Façades Imaginaires" em Grenoble, França. ▪ Participa da mostra "Grandes Formatos" no Museu de Arte Moderna de São Paulo.

1991 Integra a II Exposição Internacional de Esculturas Efêmeras, em Fortaleza. ▪ Tem sala individual na XXI Bienal de São Paulo. ▪ É convidado para a Bienal de Makurazaki, no Japão, onde recebe menção honrosa. ▪ Realiza exposição individual no Espaço Engenho Central, em Sorocaba. ▪ Participa da mostra "Declaração Universal dos Direitos do Homem", que circula em diversas cidades, e da exposição "O Que Faz Você Agora, Geração 60?", no Museu de Arte Contemporânea da Universidade de São Paulo.

1992 Participa da exposição "Futebol e Arte" na Pinacoteca do Estado de São Paulo, da mostra "Anos 60/70 – Coleção Gilberto Chateaubriand" no Sesi São Paulo e da exposição "Arte e Ecologia 92" no Museu de Arte Moderna do Rio de Janeiro. ▪ Transfere o seu ateliê para a Praça Joanópolis, no Sumaré.

1993 Executa painel para o programa "Metrópolis" da TV Cultura. ▪ É realizado o vídeo *Claudio Tozzi – Encontro com o Artista* pelo Centro Cultural Itaú. ▪ Realiza exposição individual com obras produzidas no período de 1983 a 1993 no Museu da Casa Brasileira e no Museu de Arte Moderna do Rio de Janeiro.

1994 Participa da mostra "Bienal Brasil Século XX" na Bienal de São Paulo, da mostra "Trincheiras" no Museu de Arte Moderna do Rio de Janeiro, da coletiva "O Espaço", no Centro Cultural dos Correios do Rio de Janeiro, e do evento "Passaporte para o Ano 2000" na estação Júlio Prestes em São Paulo – mostra que circula em diversas cidades.

1995 Realiza exposição individual na Galeria D do Centro Cultural de Campinas. ▪ Participa da coletiva "Visual Road" na Galeria Magalhães Gouvêa e da mostra "O Desenho em São Paulo" na Galeria Nara Roesler. ▪ Executa painel para o edifício da Cultura Inglesa, em São Paulo.

1996 É convidado para a coletiva de inauguração do Espaço Cultural de Palmas, no Tocantins. ▪ Participa da mostra "Cinco Visões da Tridimensionalidade" e da exposição "Off Bienal", no Museu Brasileiro da Escultura em São Paulo. ▪ Faz parte da "Exposição Internacional de Escultura ao Ar Livre", no Sesc de Porto Alegre, e da mostra "Brahma Reciclarte" nos espaços do Jardim Botânico do Rio de Janeiro.

1997 Realiza exposição individual na Galeria Nasser, em Uberlândia e na Galeria Coletânea no Rio de Janeiro. ▪ Participa da mostra "Eletromídia", com painéis eletrônicos em diversas cidades brasileiras e da exposição "Visões do Múltiplo Contemporâneo" na Galeria Múltipla, em São Paulo.

1998 Participa da exposição individual no Centro Cultural de São José dos Campos e no Instituto Brasil-Estados Unidos, no Rio de Janeiro. ▪ Integra a exposição "Década de Setenta" na Galeria São Paulo e "Trinta Anos de 68" no Centro Cultural Banco do Brasil, no Rio de Janeiro. ▪ Atualmente realiza projetos para painel na Estação Maracanã do Metrô Rio e mostra individual na Galeria São Paulo, "Geometrias do Tempo", em que mostra fusões e reconstruções de signos presentes em sua obra, cujo acoplamento resulta num trabalho sintético de sua linguagem.

1999 Exposição individual no Museu Andrade Muricy, em Curitiba, Museu de Arte Contemporânea de Londrina, Museu de Arte Moderna de Cascavel e no Museu de Arte Ibeu, em Belém do Pará. ▪ Integra a coletiva "Viagens de Identidade" na Casa das Rosas, São Paulo.

2000 Participa da "Mostra do Redescobrimento – Arte Contemporânea", na Bienal de São Paulo. ▪ Integra as mostras "O Papel da Arte", MAC/Fiesp e "Década de 60 – Coleção Pirelli" no MAM-SP. ▪ Realiza exposição individual no Centro Cultural Bank Boston-Alphaville. ▪ A TV Senac/SP monta um vídeo sobre sua obra: *Claudio Tozzi – Obra em Evolução.* ▪ Sala especial na exposição "Arte Pará", Belém.

2001 Realiza exposição-tese de doutorado pela FAU-USP no Museu Brasileiro da Escultura (Mube). ▪ Realiza exposição individual na Galeria Ária, em Recife. ▪ Participa da mostra "Marginália 70 – O Experimentalismo no Super-8 Brasileiro", Centro Cultural Itaú, em diversas cidades brasileiras.

2002 Vence o concurso Quota de Arte, painel em edifício. ▪ Realiza exposição individual na Galeria Ricardo Camargo em São Paulo, Mara Dolzan em Campo Grande e Croquis em Campinas. ▪ Participa da mostra "Coleção Metrópolis de Arte Contemporânea – TV Cultura" na Pinacoteca Benedito Calixto, Santos, São Paulo.

2003 Inaugura painel de 600 m^2 no Edifício Exclusive na avenida Angélica. ▪ Participa da mostra "Arte e Sociedade: Uma Relação Polêmica", curadoria de Aracy Amaral, no Centro Cultural Itaú. ▪ Participa da exposição "Leituras Cartográficas Contemporâneas – BrasilConnects" no Museu de Arte Contemporânea da USP.

2004 Realiza exposição individual no espaço cultural BMF, em São Paulo. ▪ Participa da mostra "O Preço da Sedução", sob a curadoria de Denize Mattar, no Centro Cultural Itaú. ▪ Realiza conjunto de painéis nas avenidas Bandeirantes e 23 de Maio criando uma intervenção em seus muros e viadutos (Tutóia, Aeroporto e Imigrantes) em São Paulo.

LISTA DAS ILUSTRAÇÕES

[15] TÍTULO: *Nós Somos os Guardiões-mór da Sagrada Democracia Nacional* ▪ DATA: 1967 ▪ TÉCNICA: tinta alquídica, gesso, fórmica e plástico sobre madeira ▪ DIMENSÕES: 80 x 120 cm ▪ p. 30

[16] TÍTULO: *USA e abUSA* ▪ DATA: 1966 ▪ TÉCNICA: tinta em massa e acrílico sobre madeira ▪ DIMENSÕES: 33 x 52 cm ▪ p. 30

[17] TÍTULO: *Multidão* ▪ DATA: 1968 ▪ TÉCNICA: tinta industrial sobre duratex ▪ DIMENSÕES: 77 x 130 cm ▪ p. 30

[18] TÍTULO: *Guevara* ▪ DATA: 1967 ▪ TÉCNICA: tinta acrílica sobre duratex ▪ DIMENSÕES: 120 cm (diâmetro) ▪ p. 30

[19] [19a] TÍTULO. *Veja o Nú* ▪ DATA. 1968 ▪ TÉCNICA: tinta em massa sobre madeira, tecido e ferro ▪ DIMENSÕES: 78 x 78 x 210 cm ▪ p. 35

[20] TÍTULO: *A Grande Luta Final* ▪ DATA: 1966 ▪ TÉCNICA: duco sobre madeira ▪ DIMENSÕES: 30 x 40 x 24 cm ▪ p. 38

[21] TÍTULO: *Encontro* ▪ DATA: 1967 ▪ TÉCNICA: tinta alquídica sobre aglomerado ▪ DIMENSÕES: 140 x 140 cm ▪ p. 39

[22] TÍTULO: *Sermão* ▪ DATA: 1967 ▪ TÉCNICA: tinta alquídica sobre aglomerado ▪ DIMENSÕES: 140 x 140 cm ▪ p. 39

[23] TÍTULO: *Será que Ele Vem Outra Vez...* ▪ DATA: 1967 ▪ TÉCNICA: tintas inds sobre duratex ▪ DIMENSÕES: 120 x 120 cm ▪ p. 39

[24] TÍTULO: *No Bar* ▪ DATA: 1967 ▪ TÉCNICA: tinta alquídica sobre duratex ▪ DIMENSÕES: 140 x 140 cm ▪ p. 39

[25] TÍTULO: *Astronauta* ▪ DATA: 1969 ▪ TÉCNICA: tinta alquídica sobre tela ▪ DIMENSÕES: 240 x 420 cm ▪ p. 40

[26] TÍTULO: *Astronauta* ▪ DATA: 1969 ▪ TÉCNICA: liquitex sobre tela ▪ DIMENSÕES: 80 x 80 cm ▪ p. 40

[27] TÍTULO: *Astronauta* ▪ DATA: 1969 ▪ TÉCNICA: liquitex sobre duratex ▪ DIMENSÕES: 80 x 80 cm ▪ p. 40

[28] TÍTULO: *Paz* ▪ DATA: 1963/1964 ▪ TÉCNICA: massa alquídica e resinas, colagem sobre madeira ▪ DIMENSÕES: 28 x 51 cm ▪ p. 41

[29] TÍTULO: *Mao* ▪ DATA: 1968/1969 ▪ TÉCNICA: acrílico sobre tela ▪ DIMENSÕES: 90 x 90 cm ▪ p. 42

[30] TÍTULO: *Sem Título* ▪ DATA: 1970 ▪ TÉCNICA: epoxi e duco sobre madeira e aço cromado ▪ DIMENSÕES: 74 x 74 x 18 cm ▪ p. 43

[31] TÍTULO: *Vestígios* ▪ DATA: 1998 ▪ TÉCNICA: acrílico sobre tela colada em madeira ▪ DIMENSÕES: 140 x 200 cm ▪ p. 44

[32] TÍTULO: *Colheita* ▪ DATA: 2000 ▪ TÉCNICA: acrílico sobre madeira e parafusos de ferro ▪ DIMENSÕES: 130 x diâmetro 150 cm ▪ p. 45

[33] TÍTULO: *Acertei a Frigideira no Bandido* ▪ DATA: 1967 ▪ TÉCNICA: tinta em massa sobre eucatex ▪ DIMENSÕES: 95 x 95 cm ▪ p. 46

[34] TÍTULO: *Barroca da Zona Sul* ▪ DATA: 2004 ▪ TÉCNICA: tinta acrílica sobre alvenaria ▪ LOCALIZAÇÃO: viaduto Bandeirantes da avenida Bandeirantes ▪ p. 49

[35] TÍTULO: *Parafuso* ▪ DATA: 1972 ▪ TÉCNICA: acrílico sobre tela ▪ DIMENSÕES: 150 x 100 cm ▪ p. 50

[36] TÍTULO: *Passagem* ▪ DATA: 1986 ▪ TÉCNICA: acrílico sobre tela ▪ DIMENSÕES: 140 x 140 cm ▪ p. 51

[37] TÍTULO: *Escada* ▪ DATA: 1977 ▪ TÉCNICA: liquitex sobre tela ▪ DIMENSÕES: 80 x 80 cm ▪ p. 51

[38] TÍTULO: *Escada* ▪ DATA: 1977/1978 ▪ TÉCNICA: liquitex sobre tela ▪ DIMENSÕES: 80 x 80 cm ▪ p. 51

[39] TÍTULO: *Parafusos* ▪ DATA: 2000 ▪ TÉCNICA: acrílico sobre tela colada em madeira ▪ DIMENSÕES: 120 x 120 cm ▪ p. 52

[40] TÍTULO: *Interferência* ▪ DATA: 1973 ▪ TÉCNICA: série de serigrafias ▪ DIMENSÕES: 50 x 50 cm ▪ p. 53

[41] TÍTULO: *Interferência* ▪ DATA: 1973 ▪ TÉCNICA: Liquitex sobre tela ▪ DIMENSÕES: 60 x 60 cm ▪ p. 53

[42] [42a] TÍTULO: *A Mala* ▪ DATA: 1994 ▪ TÉCNICA: pigmentos, resina acrílica, poliuretano, tela e mala de madeira industrializada ▪ DIMENSÕES: 78 x 44 x 58 cm ▪ p. 56

[43] TÍTULO: *Futebol* ▪ DATA: 1970/1986 ▪ TÉCNICA: acrílico sobre tela colada em madeira ▪ DIMENSÕES: 95 x 110 cm ▪ p. 59

[44] TÍTULO: *A Grande Vaca* ▪ DATA: 1991 ▪ TÉCNICA: tinta acrílica, ferro e resinas sintéticas sobre tela colada em madeira ▪ DIMENSÕES: 265 x 490 x 15 cm ▪ p. 60

[45] TÍTULO: *Colóquio* ▪ DATA: 1989 ▪ TÉCNICA: tinta acrílica sobre tela sobre madeira ▪ DIMENSÕES: 143 x 235 x 65 cm ▪ p. 61

[46] TÍTULO: *Sem Título* ▪ DATA: 1995 ▪ TÉCNICA: acrílico sobre tela ▪ DIMENSÕES: 120 x 120 cm ▪ p. 62

[47] Estudo para a obra *Foguete*, 1969 ▪ p. 64

[48] TÍTULO: *Fechadura* ▪ DATA: 1994 ▪ TÉCNICA: acrílico sobre tela colada em madeira ▪ DIMENSÕES: 88 x 88 cm ▪ p. 65

[49] TÍTULO: *Reciclagem* ▪ DATA: 1996 ▪ TÉCNICA: pigmentos, plástico e pet sobre madeira ▪ DIMENSÕES: 70 x 70 x 210 cm ▪ p. 66

[50] TÍTULO: *Mulher Deitada* ▪ DATA: 1987 ▪ TÉCNICA: acrílico sobre tela colada em madeira ▪ DIMENSÕES: 105 x 210 cm ▪ p. 67

[51] TÍTULO: *Signo* ▪ DATA: 2001 ▪ TÉCNICA: acrílico sobre tela ▪ DIMENSÕES: 90 x 180 cm ▪ p. 68

[52] TÍTULO: *Emblema* ▪ DATA: 2000 ▪ TÉCNICA: resina acrílica e fibra de vidro sobre tela colada em madeira ▪ DIMENSÕES: 138 x 148 cm ▪ p. 69

[53] TÍTULO: *Sem Título* ▪ DATA: 1985 ▪ TÉCNICA: acrílico sobre tela ▪ DIMENSÕES: 90 x 150 cm ▪ p. 70

[54] TÍTULO: *Colheita* ▪ DATA: 1995 ▪ TÉCNICA: pigmentos, resina acrílica e poliuretano sobre tela colada em madeira ▪ DIMENSÕES: 84 x 75 x 20 cm ▪ p. 71

[55] [55a] TÍTULO: *O Inconsciente Revelado* ▪ DATA: 1990/1991 ▪ TÉCNICA: tinta acrílica, óleo, resinas sintéticas e ferro sobre tela colada em madeira ▪ DIMENSÕES: 220 x 840 cm ▪ p. 72

[56] TÍTULO: *Recorte* ▪ DATA: 1987 ▪ TÉCNICA: acrílico sobre tela colada em madeira ▪ DIMENSÕES: 100 x 130 cm ▪ p. 73

[57] TÍTULO: *Fragmentos* ▪ DATA: 2001 ▪ TÉCNICA: acrílico sobre tela ▪ DIMENSÕES: 80 x 80 cm ▪ p. 74

[58] TÍTULO: *Signo* ▪ DATA: 2000 ▪ TÉCNICA: acrílico sobre tela ▪ DIMENSÕES: 120 x 120 cm ▪ p. 75

[59] TÍTULO: *Cor* ▪ DATA: 1975 ▪ TÉCNICA: liquitex sobre tela ▪ DIMENSÕES: 72 x 72 cm ▪ p. 76

[60] TÍTULO: *Colcha de Retalhos* ▪ DATA: 1982 ▪ TÉCNICA: acrílico sobre tela ▪ DIMENSÕES: 120 x 120 cm ▪ p. 77

[61] TÍTULO: *Sem Título* ▪ DATA: 1987 ▪ TÉCNICA: acrílico sobre tela ▪ DIMENSÕES: 120 x 120 cm ▪ p. 79

[62] TÍTULO: *Papagália* ▪ DATA: 1980 ▪ TÉCNICA: tinta acrílica sobre tela ▪ DIMENSÕES: 80 x 80 cm ▪ p. 79

[63] TÍTULO: *A Morte do Jacaré* ▪ DATA: 1990 ▪ TÉCNICA: tinta acrílica, ferro e osso sobre madeira ▪ DIMENSÕES: 88 x 168 x 18 cm ▪ p. 80

[64] TÍTULO: *Embrião* ▪ DATA: 1990 ▪ TÉCNICA: pigmentos metálicos, tinta acrílica sobre tela sobre madeira ▪ DIMENSÕES: 195 x 205 x 25 cm ▪ p. 83

[65] TÍTULO: *A Dança* ▪ DATA: 1998 ▪ TÉCNICA: acrílico sobre tela colada em madeira ▪ DIMENSÕES: 100 x 130 cm ▪ p. 84

[66] TÍTULO: *O Ente* ▪ DATA: 1993 ▪ TÉCNICA: ferro, poliuretano e tinta acrílica sobre tela ▪ DIMENSÕES: 175 x 50 cm ▪ p. 85

[67] TÍTULO: *Territórios* ▪ DATA: 2003 ▪ TÉCNICA: acrílico sobre tela ▪ DIMENSÕES: 120 x 120 cm ▪ p. 86

[68] TÍTULO: *Projeto Arte Urbana* ▪ DATA: 2004 ▪ TÉCNICA: tinta acrílica sobre alvenaria ▪ LOCALIZAÇÃO: cruzamento da avenida 23 de Maio com a avenida Bandeirantes ▪ p. 88

[69] TÍTULO: *Sem Título* ▪ DATA: 1986 ▪ TÉCNICA: acrílico sobre tela ▪ DIMENSÕES: 100 x 100 cm ▪ p. 89

[70] TÍTULO: *Chuva* ▪ DATA: 2000 ▪ TÉCNICA: acrílico sobre tela ▪ DIMENSÕES: 140 x 140 cm ▪ p. 90

[71] TÍTULO: *Passo da Bailarina* ▪ DATA: 1987 ▪ TÉCNICA: acrílico sobre tela ▪ DIMENSÕES: 175 x 170 cm ▪ p. 91

[72] TÍTULO: *Ícone* ▪ DATA: 2000 ▪ TÉCNICA: acrílico sobre tela ▪ DIMENSÕES: 90 x 180 cm ▪ p. 92

[73] TÍTULO: *Signo* ▪ DATA: 2000 ▪ TÉCNICA: acrílico sobre tela e fiberglass ▪ DIMENSÕES: 140 x 220 cm ▪ p. 93

[74] TÍTULO: *Sem Título* ▪ DATA: 1986 ▪ TÉCNICA: acrílico sobre tela ▪ DIMENSÕES: 70 x 70 cm ▪ p. 94

[75] TÍTULO: *Usina de Símbolos* ▪ DATA: 2003 ▪ TÉCNICA: poliestireno ▪ DIMENSÕES: 45 x 25 x 4,3 cm ▪ p. 97

[76] TÍTULO: *Passagem* ▪ DATA: 1984 ▪ TÉCNICA: acrílico sobre tela colada em madeira ▪ DIMENSÕES: 110 x 146 cm ▪ p. 98

[77] TÍTULO: *Passagens* ▪ DATA: 1985/1986 ▪ TÉCNICA: acrílico sobre tela ▪ DIMENSÕES: 100 x 100 cm ▪ p. 99

[78] TÍTULO: *Sem Título* ▪ DATA: 1998 ▪ TÉCNICA: acrílico sobre tela colada em madeira ▪ DIMENSÕES: 90 x 180 cm ▪ p. 100

[79] TÍTULO: *Totem* ▪ DATA: 1998 ▪ TÉCNICA: acrílico sobre tela colada em madeira ▪ DIMENSÕES: 40 x 40 x 150 cm ▪ p. 101

[80] TÍTULO: *D'après Mondrian* ▪ DATA: 1984 ▪ TÉCNICA: tinta acrílica sobre tela ▪ DIMENSÕES: 150 x 206 cm ▪ p. 102

[81] Projetos para *Interferência no Espaço*, 1973 ▪ p. 105

[82] TÍTULO: *Screw* ▪ DATA: 1974 ▪ TÉCNICA: acrílico sobre tela colada em madeira ▪ DIMENSÕES: 140 x 200 cm ▪ p. 106

[83] TÍTULO: *Monge* ▪ DATA: 1998 ▪ TÉCNICA: poliestireno ▪ DIMENSÕES: 38 x 19 x 7,3 cm ▪ p. 107

[84] TÍTULO: *Trama Reticular Urbana* ▪ DATA: 1984 ▪ TÉCNICA: acrílico sobre tela ▪ DIMENSÕES: 140 x 140 cm ▪ p. 108

[85] TÍTULO: *Ataque Aéreo* ▪ DATA: 1990 ▪ TÉCNICA: tinta acrílica e resinas sintéticas sobre tela ▪ DIMENSÕES: 185 x 300 x 14 cm ▪ p. 109

[86] TÍTULO: *Casal* ▪ DATA: 2000 ▪ TÉCNICA: tinta acrílica, fiberglass e tela sobre madeira ▪ DIMENSÕES: 120 x 26 x 60 cm ▪ p. 110

[87] TÍTULO: *Código de Barra* ▪ DATA: 1990 ▪ TÉCNICA: acrílico sobre tela ▪ DIMENSÕES: 79 x 160 cm ▪ p. 111

[88] TÍTULO: *Geografia do Lugar Nenhum* ▪ DATA: 1995 ▪ TÉCNICA: acrílico sobre tela ▪ DIMENSÕES: 200 x 145 cm ▪ p. 112

[89] TÍTULO: *Sem Título* ▪ DATA: 1989 ▪ TÉCNICA: acrílico sobre tela em relevo ▪ DIMENSÕES: 106 x 124 cm ▪ p. 114

[90] TÍTULO: *Cidade* ▪ DATA: 1999 ▪ TÉCNICA: acrílico sobre tela ▪ DIMENSÕES: 115 x 95 cm ▪ p. 115

[91] Bienal de São Paulo, 1991 ▪ p. 116

[92] Bienal de Veneza, 1976 ▪ p. 116

[93] [93a] TÍTULO: *Painel Sesc Vilanova* ▪ DATA: 1980 ▪ TÉCNICA: mosaico vidroso sobre concreto ▪ p. 117

[94] TÍTULO: *Painel BankBoston – Líbero Badaró* ▪ DATA: 2000 ▪ TÉCNICA: tinta acrílica sobre tela colada em madeira ▪ DIMENSÕES: 185 x 1070 cm ▪ p. 118

[95] TÍTULO: *Painel Hotel Mercure Jardins* ▪ DATA: 2001 ▪ TÉCNICA: tinta acrílica sobre tela colada em madeira ▪ DIMENSÕES: 185 x 420 cm ▪ p. 118

[96] TÍTULO: *Painel BankBoston – Berrini* ▪ DATA: 2002 ▪ TÉCNICA: tinta acrílica sobre tela colada em madeira ▪ DIMENSÕES: 200 x 500 cm ▪ p. 118

[97] TÍTULO: *Painel Cultura Inglesa* ▪ DATA: 1995 ▪ TÉCNICA: mosaico vidroso sobre reboco ▪ DIMENSÕES: 428 x 228 cm ▪ p. 119

[98] TÍTULO: *Movimento* ▪ DATA: 1990 ▪ TÉCNICA: tinta acrílica sobre tela colada em madeira ▪ DIMENSÕES: 350 x 800 cm ▪ LOCALIZAÇÃO: Estação Barra Funda ▪ p. 119

[99] [99a] [99b] TÍTULO: *Colcha de Retalhos* ▪ DATA: 1979 ▪ TÉCNICA: mosaico vidroso sobre concreto ▪ DIMENSÕES: 300 x 105 cm ▪ LOCALIZAÇÃO: Metrô Sé ▪ p. 120

[100] TÍTULO: *Passagem* ▪ DATA: 1984 ▪ TÉCNICA: maquete/escultura ▪ DIMENSÕES: 25 x 18 x 12 cm ▪ p. 126

[101] TÍTULO: *A Luta* ▪ DATA: 1970 ▪ TÉCNICA: liquitex sobre tela ▪ DIMENSÕES: 84 x 84 cm ▪ p. 132

[102] [102a] TÍTULO: *Zebra* ▪ DATA: 1972 ▪ TÉCNICA: poliuretano sobre zinco ▪ DIMENSÕES: 800 x 800 cm ▪ p. 135

[103] TÍTULO: *Painel Edifício Spazio 2222* ▪ DATA: 2000 ▪ TÉCNICA: tinta acrílica sobre reboco ▪ DIMENSÕES: 600 x 3200 cm ▪ p. 136

[104] [104a] TÍTULO: *Painel Edifício Spazio 2222* ▪ DATA: 2000 ▪ TÉCNICA: escultura em mosaico vidroso ▪ DIMENSÕES: 85 x 85 x 3,40 cm ▪ p. 136

[105] [105a] TÍTULO: *Edifício Exclusive* ▪ DATA: 2003 ▪ TÉCNICA: Mosaico vidroso ▪ DIMENSÕES: 600 m^2 ▪ p. 138

[106] TÍTULO: *Concurso CREA São Paulo* ▪ DATA: década de 1970 ▪ TÉCNICA: mosaico vidroso sobre concreto ▪ p. 140

[107] TÍTULO: *Projeto Painel SESI Ribeirão Preto* ▪ DATA: 1970 ▪ TÉCNICA: tinta acrílica sobre concreto ▪ p. 140

[108] TÍTULO: *Urbs* ▪ DATA: 1996 ▪ TÉCNICA: acrílico sobre tela colada em madeira ▪ DIMENSÕES: 100 x 130 cm ▪ p. 142

[109] TÍTULO: *Projeto Arte Urbana* ▪ DATA: 2004 ▪ TÉCNICA: tinta acrílica sobre alvenaria ▪ LOCALIZAÇÃO: viaduto Tutóia da avenida 23 de Maio ▪ p. 143

[110] TÍTULO: *Projeto Arte Urbana* ▪ DATA: 2004 ▪ TÉCNICA: tinta acrílica sobre alvenaria ▪ LOCALIZAÇÃO: viaduto Jabaquara da avenida Bandeirantes ▪ p. 143

[111] [111a] Mosaico ▪ p. 144/145

[112] TÍTULO: *Trama Reticular Urbana* ▪ DATA: 1983 ▪ TÉCNICA: acrílico sobre tela ▪ DIMENSÕES: 120 x 120 cm ▪ p. 146

[113] TÍTULO: *Sem Título* ▪ DATA: 1987 ▪ TÉCNICA: acrílico sobre tela ▪ DIMENSÕES: 70 x 70 cm ▪ p. 150

[114] TÍTULO: *Sistema Viário* ▪ DATA: 1989 ▪ TÉCNICA: acrílico sobre tela em relevo ▪ DIMENSÕES: 59 x 160 cm ▪ p. 153

[115] TÍTULO: *Signo* ▪ DATA: 2000 ▪ TÉCNICA: acrílico e fibra de vidro sobre tela colada em madeira ▪ DIMENSÕES: 122 x 70 cm ▪ p. 154

[116] TÍTULO: *Sem Título* ▪ DATA: 1987 ▪ TÉCNICA: acrílico sobre tela ▪ DIMENSÕES: 131 x 107 cm ▪ p. 155

[117] TÍTULO: *Sem Título* ▪ DATA: 1989 ▪ TÉCNICA: Acrílico sobre tela ▪ DIMENSÕES: 70 x 70 cm ▪ p. 156

[118] TÍTULO: Filmes super-8 realizados com Flávio Império, Victor Knoll e Julio Abe Wakahara ▪ p. 160

[119] TÍTULO: *Multidão* ▪ DATA: 1968 ▪ TÉCNICA: liquitex sobre duratex ▪ DIMENSÕES: 120 x 120 cm ▪ p. 161

[120] TÍTULO: *Maio 68/Maio 98 Geometria do Tempo* ▪ DATA: 1998 ▪ TÉCNICA: acrílico sobre tela ▪ DIMENSÕES: 175 x 120 cm ▪ p. 162

[121] TÍTULO: *Expansão* ▪ DATA: 1991 ▪ TÉCNICA: tinta acrílica, resina sintética e ferro sobre tela sobre madeira ▪ DIMENSÕES: 310 x 310 x 15 cm ▪ p. 164

[122] TÍTULO: *Nau sem Rumo* ▪ DATA: 1993 ▪ TÉCNICA: poliuretano, resinas acrílicas, pigmento e tela sobre madeira ▪ DIMENSÕES: 80 x 160 cm ▪ p. 164

[123] Eletrocardiograma, 1973 ▪ p. 166

[124] TÍTULO: *Signo/Emblema* ▪ DATA: 2000 ▪ TÉCNICA: acrílico sobre tela ▪ DIMENSÕES: 80 x 80 cm ▪ p. 167

[125] TÍTULO: *Arquitetura Imaginária* ▪ DATA: 2002 ▪ TÉCNICA: acrílico sobre tela ▪ DIMENSÕES: 80 x 80 cm ▪ p. 168

[126] TÍTULO: *Freiras ao Vento* ▪ DATA: 1993 ▪ TÉCNICA: tinta acrílica, grafite, pó de alumínio, ferro e poliuretano sobre tela sobre madeira ▪ DIMENSÕES: 175 x 95 cm ▪ p. 170

[127] TÍTULO: *Territórios* ▪ DATA: 2003 ▪ TÉCNICA: acrílico sobre tela ▪ DIMENSÕES: 80 x 80 cm ▪ p. 171

[128] TÍTULO: *Mulher Deitada* ▪ DATA: 1987 ▪ TÉCNICA: acrílico sobre tela ▪ DIMENSÕES: 95 x 215 cm ▪ p. 172

[129] TÍTULO: *U +∩* ▪ DATA: 1989 ▪ TÉCNICA: acrílico sobre tela em relevo ▪ DIMENSÕES: 60 x 120 cm ▪ p. 174

[130] TÍTULO: *Múltiplo* ▪ DATA: 1973 ▪ TÉCNICA: acrílico, carbonato de cálcio e ferro cromado ▪ DIMENSÕES: 10 x 10 x 15 cm ▪ p. 175

[131] TÍTULO: *Mergulho* ▪ DATA: 1995 ▪ TÉCNICA: pigmentos, resina acrílica e poliuretano sobre madeira ▪ DIMENSÕES: 60 x 160 cm ▪ p. 176

[132] TÍTULO: *O Pintor e a Flauta Mágica* ▪ DATA: 1993 ▪ TÉCNICA: ferro, poliuretano, resinas acrílicas e pigmentos sobre tela sobre madeira ▪ DIMENSÕES: 214 x 158 cm ▪ p. 178

[133] TÍTULO: *O Quarto* ▪ DATA: 1991 ▪ TÉCNICA: tinta acrílica, ferro e resinas sintéticas sobre tela sobre madeira ▪ DIMENSÕES: 260 x 300 x 15 cm ▪ p. 180

[134] TÍTULO: *Trama Urbana* ▪ DATA: 1984/1985 ▪ TÉCNICA: acrílico sobre tela ▪ DIMENSÕES: 80 x 80 cm ▪ p. 182

[135] TÍTULO: *Passagens* ▪ DATA: 1984 ▪ TÉCNICA: acrílico sobre tela ▪ DIMENSÕES: 135 x 200 cm ▪ p. 184

[136] TÍTULO: *Passagens* ▪ DATA: 1984 ▪ TÉCNICA: tinta acrílica sobre tela sobre madeira ▪ DIMENSÕES: 108 x 158 cm ▪ p. 185

[137] TÍTULO: *Sem Título* ▪ DATA: 1987 ▪ TÉCNICA: acrílico sobre tela ▪ DIMENSÕES: 70 x 50 cm ▪ p. 186

[138] TÍTULO: *Sem Título* ▪ DATA: 1987 ▪ TÉCNICA: acrílico sobre tela ▪ DIMENSÕES: 120 x 120 cm ▪ p. 188

[139] TÍTULO: *Dançando na Lua* ▪ DATA: 1999 ▪ TÉCNICA: tinta acrílica sobre tela sobre madeira ▪ DIMENSÕES: 110 x 116 cm ▪ p. 190

[140] TÍTULO: *Objeto Urbano* ▪ DATA: 1966 ▪ TÉCNICA: borracha, tinta duco sobre madeira ▪ DIMENSÕES: 80 x 80 x 120 cm ▪ p. 190

[141] TÍTULO: Hélio Oiticica e a Bandeira *Guevara* ▪ DATA: 1968 ▪ TÉCNICA: serigrafia sobre tecido ▪ p. 191

[142] TÍTULO: *Orgânica* ▪ DATA: 2000 ▪ TÉCNICA: acrílico sobre ndf ▪ DIMENSÕES: 74 x 81 cm ▪ p. 192

[143] TÍTULO: *Dança* ▪ DATA: 1992 ▪ TÉCNICA: acrílico sobre tela ▪ DIMENSÕES: 100 x 200 cm ▪ p. 194

[144] TÍTULO: *Sem Título* ▪ DATA: 1987 ▪ TÉCNICA: acrílico sobre tela ▪ DIMENSÕES: 130 x 216 cm ▪ p. 196

[145] TÍTULO: *Sem Título* ▪ DATA: 1987 ▪ TÉCNICA: tinta acrílica sobre tela ▪ DIMENSÕES: 107 x 104 cm ▪ p. 196

[146] TÍTULO: *Sem Título* ▪ DATA: 1987/1988 ▪ TÉCNICA: acrílico sobre tela ▪ DIMENSÕES: 109 x 158 cm ▪ p. 198

[147] TÍTULO: *Sem Título* ▪ DATA: 1988 ▪ TÉCNICA: acrílico sobre tela ▪ DIMENSÕES: 100 x 100 cm ▪ p. 198

[148] TÍTULO: *Chuva* ▪ DATA: 1986 ▪ TÉCNICA: acrílico sobre tela ▪ DIMENSÕES: 160 x 160 cm ▪ p. 199

[149] TÍTULO: *Passagens* ▪ DATA: 1984 ▪ TÉCNICA: acrílico sobre tela ▪ DIMENSÕES: 160 x 160 cm ▪ p. 200

[150]. TÍTULO: *Território* ▪ DATA: 2003 ▪ TÉCNICA: tinta acrílica sobre tela ▪ DIMENSÕES: 120 x 200 cm ▪ p. 205

BIBLIOGRAFIA

"A FORÇA da Imagem na melhor Fase de Tozzi". *O Globo*, 22 de agosto de 1986.

ABRAMO, Radha. "A Realidade Partida de Claudio Tozzi". *Folha de S. Paulo*, 28 de junho de 1979.

AJZENBERG, Elza. Projeto "Exposição Nave dos Insensatos". São Paulo, MAC-USP, 2002.

ALMEIDA, Miguel de. "Expressões Cosmopolitas". *Gazeta Mercantil*, 30 de abril de 2004.

AMARAL, Aracy. *Perfil de um Acervo: MAC-USP*. São Paulo, 1988.

ARAÚJO, Olívio Tavares de. "Tozzi na Fase das Colchas". *IstoÉ*, 17 de março de 1982.

________. *Claudio Tozzi*. São Paulo, Museu da Casa Brasileira, 1993.

ARGAN, Giulio Carlo. *Projeto e Destino*. São Paulo, Ática, 2000.

BAPTISTA, Ana Teresa. "Claudio Tozzi Convida a Fazer Arte". *A Tarde*, Caderno 2, 20 de novembro de 1991.

BOJUNGA, Cláudio. "A Arte de um Homem sem Rosto". *Jornal da Tarde*, 22 de novembro de 1971.

CAMPOS, Haroldo de. *Catálogo Passagens*. Galeria São Paulo, 1984.

CANEVACCI, Massimo. *A Cidade Polifônica*. Studio Nobel, 1993.

________. *Antropologia da Comunicação Visual*. São Paulo, Brasiliense, 1990.

CANTON, Kátia. *Novíssima Arte Brasileira, um Guia de Tendências*. São Paulo, Iluminuras, 2001.

"CLAUDIO Tozzi". *Folha de S. Paulo*, 8 de agosto de 1976.

"COLCHA de Retalhos". *Folha de S. Paulo*, 12 de novembro de 1979.

"COR. Pigmento. E Luz". *Gazeta*, 7 de agosto de 1975.

CYPRIANO, Fabio. "Tozzi Propõe Arte e Arquitetura Integradas". *Folha de S. Paulo*, 24 de fevereiro de 2001.

DRIGO, Adriana. "Samba Colorido". *O Estado de S. Paulo*, 17 de setembro de 2004.

"EXPOSIÇÃO de Claudio Tozzi". *Folha de S. Paulo*, 26 de outubro de 1971.

FERNANDES, José Carlos. "Encontro Marcado com o Tempo". *Gazeta do Povo*, 29 de abril de 1999.

FIGURAÇÕES Brasil Anos 60. São Paulo, Edusp, 1999.

GIOBBI, César. "Claudio Tozzi numa Exposição que Redime a Bienal". *Jornal da Tarde*, 17 de outubro de 1973.

GIOVANNETTI, Bruno & KIYOMURA, Leila. *Ateliês Brasil: Artistas Contemporâneos na Cidade de São Paulo*. São Paulo, Editora Empresa das Artes, 2004.

"GUEVARA Vivo ou Morto". *Jornal do Brasil*, 27 de dezembro de 1967.

IACOCCA, Angelo. *Claudio Tozzi*. São Paulo, Museu da Casa Brasileira, 1993.

IMPÉRIO, Flávio. *Catálogo da Galeria Croqui*, Campinas, agosto de 1984.

KLINTOWITZ, Jacob. *O Universo Construído da Arte*. São Paulo, Editora Valoart, 1989.

KRÜSE, Olney. "Um Retrato do Chico Buarque das Artes Visuais". *Jornal da Tarde*.

MACIEL, Nahima. "Linhas que Norteiam a Vida". *Correio*, Dois, 1° de setembro de 1998.

MACHADO, Regina. *Claudio Tozzi*. São Paulo, Moderna, Coleção Mestre das Artes no Brasil, 2004.

MAGALHÃES, Fábio. *Claudio Tozzi, Construtor de Imagens*. Rio de Janeiro, Editora Revan, 1989.

MAGRELLO, Luiz Ricardo. "O Papa Não é mais Pop". *Correio*, Uberlândia, 17 de abril de 1997.

MATOS, Olgária. *Catálogo da Exposição "Geometrias do Tempo"*. Galeria São Paulo, maio de 1998.

MCLUHAN, Marshall & PARKER, Harley. *O Espaço na Poesia e na Pintura através do Ponto de Fuga*. São Paulo, Editora Hemus, 1975.

"MESTRE do Presente". *O Liberal*, Cartaz, 6 de outubro de 1999.

MORAES, Alexandra. "Claudio Tozzi Vai Colorir Avenidas". *Folha de S. Paulo*, 30 de junho de 2004.

MORAIS, Frederico. "A Arte como Reflexo da Realidade". *Diário de Notícias*, 5 de abril de 1968.

"NÃO Perca". *IstoÉ*, 13 de junho de 1979.

NOGUEIRA, Ijalmar. "Sólido Exemplo de Profissionalismo". *Jornal de Brasília*, 23 de maio de 1982.

"O MELHOR segundo a Crítica". *Jornal da Tarde*, 30 de dezembro de 1975.

O MUSEU de Arte Contemporânea da USP. São Paulo, Banco Safra, 1990.

OLIVA, Fernando. "Tozzi Geometriza os Símbolos que Criou". *Folha de S. Paulo*, 14 de maio de 1998.

"OS PARAFUSOS do Artista, ou as Pressões do Mundo Moderno". *Jornal da Tarde*, 26 de outubro de 1971.

"PARIS ainda Quer Definir o Vanguardismo". *IstoÉ*, 24 de setembro de 1980.

PECCININI, Daisy. "Figurações: 30 Anos na Arte Brasileira". São Paulo, MAC-USP, 1998.

SCHENBERG, Mario. *Entre-Vistas*. São Paulo, Editora Instituto de Física da USP, 1984.

________. *Pensando a Arte*. São Paulo, Nova Stella, 1988.

"UM ENCONTRO Triplo e Muito Rico". *Jornal da Tarde*, 28 de agosto de 1977.

"UMA FACHADA para a Arte de Tozzi". *Jornal da Tarde*, 27 de março de 2002.

"UM NOVO Tozzi. Despojado, Sensual". *Jornal da Tarde*, 23 de maio de 1986.

VON SCHMIDT, Carlos. "Uma Pintura sem Pieguismos", *Folha de S. Paulo*, 16 de março de 1982.

Título	*Claudio Tozzi*
Organizadores	Leila Kiyomura
	Bruno Giovannetti
Produção	Silvana Biral
	Fabio Kato
Projeto Gráfico/Capa	Moema Cavalcanti
Editoração Eletrônica	Fabio Kato
	Gustavo Furuyama
	Roberto Issamu Takahashi
Editoração de Texto	Alice Kyoko Miyashiro
Revisão de Texto	Tania Mano Maeta
Revisão de Provas	Helena de Moraes Achcar
	Maurício Katayama
	Tania Mano Maeta
Fotos	Acervo do artista
Divulgação	Regina Brandão
	Bárbara Borges
	Taciane Vaz
Secretaria Editorial	Eliane dos Santos
Formato	23 x 26 cm
Tipologia	Gatineau 10/15,2
Papel	Cartão Super 6 450 g/m^2 (capa)
	Couché Fosco 120 g/m^2 (miolo)
Número de Páginas	224
Tiragem	2000
Impressão e Acabamento	imprensaoficial